Une église peut
une coupole peut
elle avoir un
clocher

Bulbe au T...

Habit d'une religieuse
et d'une garde
Ancienne forme de Geneviève
Le Deuil de le Chanoine
Roland.

Collection
Génies et Réalités

PROUST

HACHETTE

Les auteurs
ayant collaboré à cet ouvrage sont :

ANTOINE ADAM

FRANÇOIS-RÉGIS BASTIDE

EMMANUEL BERL

JOSÉ CABANIS

PASCAL FIESCHI

MATTHIEU GALEY

JEAN GRENIER

THIERRY MAULNIER
de l'Académie française

JEAN-FRANÇOIS REVEL

GILBERT SIGAUX

Mme Adrien Proust

CHAPITRE I

Une vie
laboratoire
d'une
œuvre

PAR ANTOINE ADAM

D e sa vie, nous connaissons assez bien les parties qu'il accepta de nous montrer, ses projets de carrière, ses travaux d'homme de lettres, ses relations mondaines, ses amitiés. L'essentiel reste enveloppé d'ombre et nous pouvons seulement soupçonner ses amours et les obsessions de ses nuits.

Il était né à Auteuil, le 10 juillet 1871. Son père, le Dr Adrien Proust, était agrégé à la Faculté de médecine et s'était tourné depuis plusieurs années vers les services de la Santé publique. Sa mère, née Jeanne Weil, était fille d'un agent de change, Nathée Weil. Enceinte, très éprouvée par le Siège et la Commune, elle était allée accoucher chez son oncle Louis Weil, dans la maison, entourée d'un vaste jardin, qu'il occupait au 96 de la rue La Fontaine. Dès qu'elle le put, elle revint à son appartement, 9, boulevard Malesherbes, et c'est là que le petit Marcel passa son enfance.

Tandis que le Dr Proust consacrait son temps à une carrière qu'il voulait belle, deux femmes admirables s'étaient donné pour mission d'éveiller chez l'enfant toutes les délicatesses morales, et de développer son intelligence, qui fut très vite exceptionnelle. La grand-mère, Mme Nathée Weil, aimait la musique, la littérature, elle goûtait surtout les chefs-d'œuvre de notre XVIIe siècle. Mme Proust savait le latin et le grec, l'anglais et l'allemand.

Mais ces deux femmes avaient surtout l'ambition de former l'âme du petit Marcel. Elles lui donnèrent l'exemple des plus rares vertus : l'extrême modestie, la noblesse habituelle des sentiments, l'habitude du sacrifice. « Humble de cœur, et si douce... », a écrit Proust, parlant de sa grand-mère.

La famille passait ses vacances à Illiers, petite ville à 25 kilomètres au sud-ouest de Chartres. Le Dr Proust y était né. Sa sœur y avait épousé un commerçant, Jules Amiot. Ils habitaient, rue du Saint-Esprit, une maison qui possédait un petit jardin. Jules Amiot avait acquis un enclos plus vaste, sur les bords du Loir, à la lisière de la localité. Marcel aimait s'y réfugier pour y rêver et pour y faire de longues lectures (1).

Il était, nous dit-on, quand il vint au monde, si faible qu'on douta qu'il pût vivre. Il fut dès ses premières années de santé délicate. Alors qu'il avait neuf ans, un jour qu'il était allé au bois de Boulogne avec ses parents et une famille amie, il fut pris, au retour, d'une effroyable crise de suffocation, sous les yeux de son père, terrifié. A partir de ce jour, il fut un enfant qui n'était pas comme les autres, il ne put, jamais plus, courir, sauter, « se laisser aller à son élan ». Il fallut l'entourer de soins attentifs, lui épargner les contrariétés, les inquiétudes, il fallut renoncer à lui imposer le moindre effort.

Au mois d'octobre 1892, il entra au lycée Condorcet et fut admis en cinquième. Son état de santé ne lui permettait guère un travail régulier. Lorsque les archives du lycée nous permettent de suivre le progrès de ses études, nous constatons sans étonnement qu'il est très souvent absent. Il manque toutes ses classes durant le troisième trimestre de la quatrième (1883-1884). Le professeur de troisième note : « La maladie fait tort au travail. » En seconde (1885-1886), il ne fait que de rares apparitions pendant le premier trimestre,

et ses notes, cette année-là, se bornent à répéter : « absent, toujours
absent ». Si bien qu'il lui fallut redoubler sa seconde (1886-1887).
Mais cette fois, il semble certain que sa santé s'améliora. Il passa
une excellente année, et fit alors des progrès considérables.

Il entra donc en première dans de bonnes conditions. Il y trouva
deux professeurs remarquables, Cucheval pour le latin, et surtout
Gaucher pour le français. Le second de ces maîtres était né pour
éveiller des vocations. Une note d'inspection générale nous permet
d'imaginer ce qu'était son enseignement, et dans quel sens son
influence s'exerçait. Elle nous parle d'une « liberté de doctrine »
qui frisait « le scepticisme littéraire » et qui encourageait « préma-
turément l'émancipation intellectuelle des élèves ». Il est clair que
cette volonté d'éveiller les jeunes esprits inspire à l'inspecteur général
une réprobation où entre de l'effroi. Mais elle fut, pour Marcel
Proust, un merveilleux excitant.

Il écrivait maintenant à la manière des écrivains à la mode, dans
le style « impressionniste », subtil et un peu coquet, dont Jules
Lemaitre donnait l'exemple. Gaucher ne l'en détournait pas. Pendant plusieurs mois, le jeune rhétoricien lut à haute voix, en classe,
ses devoirs français. Certains le huaient. D'autres applaudissaient.
Il savait bien que ce modernisme le marquait, et il écrivait à un ami :
« Ce que nous avons de commun avec quelques autres, c'est que
nous connaissons un peu la littérature d'aujourd'hui, et que nous
l'aimons. » A la fin de sa première (juillet 1888), il obtint le premier prix de composition française.

Après la classe, et dans l'après-midi de ses jeudis, il avait pris l'habitude d'aller aux Champs-Élysées. Il y retrouvait une petite bande
de fillettes et de jeunes garçons de son âge. Il ne se mêlait d'ailleurs
pas tout à fait à leurs jeux. Sa santé l'en empêchait. Il passait ces
heures en longues conversations. Deux très jeunes filles, deux sœurs,
Lucie et Antoinette Faure, étaient ses préférées. Il aimait surtout
Antoinette, aussi gaie, vive, remuante, qu'il était lui-même mélancolique et indolent. Lorsqu'il eut quinze ans, il aima Marie de
Bénardaky, qui allait plus tard fournir à l'auteur de *la Recherche*
la plupart des traits de Gilberte.

Certains témoignages nous aident à imaginer l'aspect qu'il offrait

alors à ses camarades d'étude ou de jeu. Il était « gentil ». Il l'était
à un point qui gênait et qui inspirait la méfiance. Tant de protestations d'amitié ne paraissaient pas vraisemblables. Il a parlé,
dans *Jean Santeuil*, de ce « besoin de sympathie », de cette sensibilité
maladive et trop fine, qui le faisait « déborder d'amour » au moindre
mot aimable. Ses amis en étaient choqués et agacés, car ils ne pouvaient y voir que de l'hypocrisie et de la pose. L'un d'eux a écrit
qu'il était saisi d'effroi quand Marcel lui prenait les mains, lui
déclarait son amitié, son besoin d'une affection tyrannique et totale.
Ils le trouvaient « collant ». Marcel le savait et s'en désolait, « Ça
a toujours été mon cauchemar de l'être » écrivait-il.

Il savait aussi que son « ardeur » le rendait ridicule, aux yeux de
Daniel Halévy notamment, et qu'il « insupportait » ses amis. Il a
fait son propre portrait, un portrait sans indulgence, dans une lettre
à Robert Dreyfus. Il y évoque « ses grands élans perpétuels, son
air effaré, ses grandes passions et ses adjectifs ». Nul mieux que lui
ne voyait ce qu'il y avait d'un peu inquiétant, et d'un peu ridicule
aussi, dans cet effort qu'il faisait pour plaire, pour se faire aimer,
pour se faire pardonner de n'être pas tout à fait pareil aux jeunes
gens de son âge.

En réalité, il s'était depuis quelque temps replié sur lui-même.
Dans une lettre étonnante adressée à son professeur de philosophie,
il a placé dans sa quinzième année, c'est-à-dire quand il était en
troisième, le commencement de cette période nouvelle. C'est alors,
dit-il, qu'il se mit à étudier sa vie intérieure. Vers seize ans, cet
état devint intolérable. Ce « dédoublement constant » le menait
à l'épuisement et au désespoir. Même pendant l'année de rhétorique,
il garda le sentiment qu'une activité très intellectuelle ne lui rendait
pas les joies profondes qu'il avait naguère connues, quand il n'était
encore qu'un enfant et qu'il se livrait naïvement à ses impressions.
Le professeur de philosophie auquel il s'adressait alors avec tant
de confiance s'appelait Alphonse Darlu. Il était, au dire de ceux
qui l'ont connu, un vrai philosophe, et qui mettait le plus précieux
de sa pensée, non dans des livres, mais dans ses cours. Il fit sur Proust
une impression profonde. Rationaliste convaincu, il combattait le
scepticisme où se plaisaient tant d'hommes de l'époque. Son ensei-

gnement était également tourné contre le matérialisme et, du même coup, contre la littérature naturaliste. Ses leçons vinrent contrebalancer, dans l'esprit de son élève, l'influence de Jules Lemaitre et d'Anatole France.

L'année de philosophie se termina de façon brillante pour le jeune lycéen. Il obtint le 1er prix de dissertation française (juillet 1889). Ce résultat obtenu, il se débarrassa sans tarder de ses obligations militaires. Le « volontariat d'un an » allait être supprimé. Il se hâta de profiter, quand il en était encore temps, d'un régime qui lui était avantageux. Il fit son année de service au 76e Régiment d'infanterie, à Orléans, et réussit à n'y être pas malheureux. Il fut libéré au mois d'octobre 1890. Il lui fallait maintenant aborder les études supérieures. Il aurait volontiers choisi la littérature et la philosophie. Mais son père imposa sa volonté, et le 20 novembre 1890 il prit ses inscriptions à la Faculté de droit. En même temps que les cours de la Faculté, il suivit, avec plus ou moins de régularité, ceux de l'École des sciences politiques. Il

Proust pendant son volontariat

y entendit parler Leroy-Beaulieu et Sorel. Il observa aussi les ridicules d'Albert Vandal, et ne les oublia pas. Il travaillait, on le devine, sans enthousiasme. Si bien qu'au mois d'août 1892, à la fin de sa deuxième année, il échoua à la deuxième partie de l'examen. Ses parents furent, écrivait-il, malades de cet échec. Il faut croire qu'il se décida à faire un effort sérieux, car, l'année suivante, il obtint le grade de licencié en droit.

Il lui fallait de nouveau prendre une décision. Et de nouveau ses vues étaient en désaccord avec celles de son père. Celui-ci voulait faire de lui un avoué. Quinze jours de stage dans une étude inspirèrent à Proust une horreur définitive pour cette carrière. Le Dr Proust rêvait aussi de la Cour des comptes, ou de la diplomatie. Le jeune Marcel, sans résister absolument, se dérobait. Il voulait bien admettre la carrière diplomatique, mais non comme une vocation : c'était pour lui, et il le disait, un pis-aller. Il avait soin d'avertir son père qu'il s'en tenait à ses premières idées, et que tout ce qu'il ferait en dehors des lettres et de la philosophie serait pour lui « du temps perdu ».

Il eut le dernier mot. Il prit ses inscriptions en Sorbonne, avec l'intention de préparer une licence en philosophie. Il y travailla sérieusement. Il accepta d'entrer dans « tout un engrenage de leçons » particulières. M. Darlu venait chez lui pour des répétitions. On a retrouvé les notes où l'un de ses professeurs, M. Egger, mettait des appréciations sur le travail de ses étudiants. Il en ressort que Proust faisait des dissertations, et M. Egger le jugeait intelligent. Le 27 mars 1895, Proust fut déclaré admissible aux épreuves orales de la licence ès lettres. Il fut reçu dans les jours qui suivirent.

Il n'avait pas attendu la fin de ses études pour aller dans le monde. Il y avait été introduit beaucoup plus tôt qu'il n'était habituel. Les circonstances en avaient été la première cause. Il avait pour camarades de classe Jacques Bizet et Jacques Baignères. Le premier était fils de Mme Straus, et celle-ci recevait chez elle une société particulièrement brillante. La mère du second, Mme Laure Baignères, occupait également une grande situation dans le monde. Ces deux femmes invitèrent le jeune philosophe, ami de leurs fils. Marcel Proust plut infiniment par sa gentillesse et son esprit. D'autres dames, à leur tour, l'attirèrent.

Il terminait son année de philosophie (1889) lorsqu'il fut reçu chez Mme de Caillavet. Un peu plus tard, en 1892, alors qu'il préparait sa licence en droit, il commença de fréquenter les salons de Mme Aubernon et de Mme Madeleine Lemaire. Celle-ci le présenta à la princesse Mathilde, et il fut dès lors, pour quelque temps, le chérubin de la vieille dame. Il l'était aussi de la baronne Alphonse de Rothschild, qui l'avait remarqué chez Mme Straus. Chez celle-ci, il put approcher la comtesse d'Adhéaume de Chevigné, chez elle il aperçut Charles Haas. Par les Baignères il connut les Daudet et il

devint, en 1894, l'un des habitués du salon de la rue de Bellechasse.
Quelques souvenirs, datant de cette époque, nous aident à l'imaginer dans ce monde où il vient de pénétrer. Au début, quand il
n'avait encore que dix-huit ans, il tenait le rôle de petit page, assis
sur un pouf, aux pieds de Mme Straus par exemple. Puis il adopta
une allure plus grave. Il apparaissait, très élégant, le camélia à la
boutonnière. A la date de 1892, Fernand Gregh nous a laissé de
lui, sous le nom de Fabrice, un étonnant portrait. Il note chez son
modèle « une grâce enveloppante, toute passive en apparence, et
très active ». En dépit des airs qu'il se donne, Proust est entré dans
le monde avec la volonté de le conquérir.

Il est vrai d'ailleurs qu'il est lui-même séduit. En septembre 1888
déjà, quand il venait d'achever
sa rhétorique, il avouait son goût
pour les élégances mondaines. Il
aimait dès lors « les caprices
d'étoffes exquises ». Il admirait,
à la promenade des Acacias, les
belles courtisanes. Elles le faisaient rêver à Botticelli et à
Bernardino Luini. Il y voyait
« la fleur de l'esthétique française en 1888 ». C'est cela qu'il
aimait d'abord dans le monde.
Mais ni Mme Aubernon, ni
Madeleine Lemaire, ni même
Mme Straus ne représentaient
le faubourg Saint-Germain. Il
fallut que le jeune Proust ren-
contrât, chez Mme Lemaire, le

Madame Straus-Bizet

comte Robert de Montesquiou. Leurs relations débutèrent en 1893,
et, dans les années suivantes, la correspondance de Proust est pleine
de noms nouveaux et très brillants dont il doit certainement la connaissance à celui qui l'avait pris sous son patronage. On s'explique
la phrase de J. E. Blanche : « c'est Montesquiou qui a introduit
Proust dans le vrai gratin ». Encore convient-il d'observer que

Proust ne pénétra pas vraiment dans la « coterie de la rue d'Astorg », dans cette société de la comtesse Greffulhe, qu'il devait décrire un jour sous le nom de Guermantes. Montesquiou se borna à lui donner, sur ce monde fermé, les informations qu'il a utilisées plus tard dans son roman. Le jeune homme remerciait Montesquiou en multipliant les efforts pour faire passer à la *Revue Blanche*, à la *Revue de Paris*, au *Gaulois*, des articles à la gloire du comte.

Ses anciens amis l'observaient sans admiration. Il n'était plus à leurs yeux qu'un *snob* (*), et qui, s'il s'entêtait à écrire, ne serait jamais qu'un amateur. On le jugeait paresseux, on se moquait de sa passion pour le grand monde, on disait qu'au total il manquait de personnalité.

Pour se justifier aux yeux des autres, et surtout à ceux de son père, il avait annoncé qu'il faisait choix d'une carrière de bibliothécaire. Il se présenta en effet le 28 mai 1895 au concours d'attaché de bibliothèque. Trois places étaient vacantes. Il fut reçu le troisième, et affecté à la bibliothèque Mazarine. Les attachés étaient tenus à cinq heures de présence, trois jours par semaine. Ils ne recevaient pas de traitement. Le 25 octobre 1895 Proust fut, malheureusement pour lui, attaché au Dépôt légal. La besogne était plus lourde. Il se hâta de solliciter un congé d'un an. Il l'obtint, et quatre ans de suite il réussit à le faire renouveler. Mais le 14 février 1900, l'administration le somma de rejoindre son poste. Il ne prit pas la peine de répondre, et, le 1er mars suivant, il apprit qu'il était considéré comme démissionnaire.

Il y avait longtemps qu'il ne songeait qu'à devenir écrivain (2). Il avait fait ses débuts très tôt, à l'époque où il redoublait sa seconde. Il avait collaboré aux revues que son ami Daniel Halévy lançait successivement parmi les élèves de sa classe, *Lundi*, *Revue de Seconde*, *Revue Verte*, *Revue Lilas*. Nous possédons quelques feuillets que Proust écrivit pour celle-ci, en novembre 1888. Il y donnait des impressions de théâtre, où l'imitation de Jules Lemaitre est visible. Quatre ans plus tard, au mois de janvier 1892, alors que ces jeunes gens étaient devenus des hommes, Daniel Halévy réunit chez un

●(*) *L'italique dans tout le chapitre est notre fait.*

libraire du passage Choiseul une douzaine de ses amis, presque tous anciens élèves de Condorcet. Amené par Jacques Bizet, Proust assistait à la réunion. La création d'une revue fut décidée, qui s'appela *le Banquet*.

Marcel Proust y collabora activement. Il donna au *Banquet* des nouvelles, il y plaça les portraits de quelques dames du grand monde avec l'intention trop évidente d'attirer sur sa personne leur bienveillante attention. Mais il y publia aussi quelques études de critique où il ne nous est pas difficile de discerner le pressentiment de certaines vérités dont il allait, plus tard, nourrir *la Recherche*.

Le Banquet disparut avec le numéro de février 1893. Quelques-uns de ses collaborateurs passèrent à la *Revue Blanche*. Marcel Proust fut du nombre. Il y publia plusieurs morceaux, des nouvelles, des études. Il en fit recevoir aussi à la *Revue hebdomadaire* en 1894, et au *Gaulois* en 1894 et 1895. Enfin il publia en 1896 son premier livre, *les Plaisirs et les Jours*. Il y pensait depuis plusieurs années. L'idée lui en était venue à une époque où il était sous l'influence de Madeleine Lemaire. Il avait même choisi pour premier titre *le Château de Réveillon* pour rappeler les séjours qu'il avait faits chez elle avec Reynaldo Hahn. Il lui avait demandé d'illustrer son livre, et il annonçait à ses amis, vers la fin de 1893, qu'elle avait accepté. En septembre 1894, il demanda à Montesquiou l'autorisation de lui dédier l'ouvrage. Anatole France accepta de donner une préface. L'entreprise traîna pourtant. L'éditeur s'inquiétait de certains défauts de l'œuvre, il demandait à Anatole France d'user de son autorité pour obtenir du jeune Proust quelques corrections. Enfin, au mois d'avril 1896, on procéda à la mise en pages, et le livre reçut son titre définitif. Il parut le 12 juin suivant.

Pour nous, qui savons y reconnaître les prémices d'une œuvre entre toutes géniale, ce volume révèle déjà, en de nombreuses pages, des dons éminents. A l'époque de sa publication, ses analyses semblèrent d'une vaine subtilité, et son style parut d'une élégance molle et fade. La présentation était déplorable, et le texte étouffé par les illustrations de Madeleine Lemaire et par la musique de Reynaldo Hahn qui y étaient jointes. Le prix du volume, au surplus, était extravagant. L'échec fut complet.

On a cru longtemps que Proust en était resté, pour plusieurs années, découragé. Nous savons aujourd'hui qu'en réalité il avait alors en chantier un roman de dimensions considérables, et qu'il continua d'y travailler, malgré l'accueil rencontré par son premier livre.

Au mois de septembre 1895, il avait fait un voyage en Bretagne avec Reynaldo Hahn. Il passa plusieurs semaines à Beg-Meil. Là, il se mit au travail. Huit chapitres de son futur roman furent écrits alors. C'étaient des souvenirs à peine déformés de son enfance, des années de lycée, de ses jeux aux Champs-Élysées. Ou encore c'était le récit des journées qu'il venait de passer à Dieppe, où il venait d'être l'hôte de Madeleine Lemaire.

Durant quatre ans, il s'obstina à réaliser ce grand projet. Il y ajoutait chapitre par chapitre, des épisodes de sa vie, un voyage au Mont-Dore, un séjour à Fontainebleau. Il croyait à cette époque, en avoir fini au printemps de 1897. Mais l'œuvre s'enflait encore. Le roman portait pour titre *Jean Santeuil*. Proust y mettait en scène les hommes et les femmes qu'il avait pu observer, Reynaldo Hahn, France, Darlu, Mme Straus, Madeleine Lemaire et bien d'autres. Ces portraits n'étaient pas tous flatteurs.

L'œuvre à ce point grossie devenait de plus en plus difficile à publier. Proust avait longtemps pensé à Calmann-Lévy. Celui-ci se déroba sans doute. D'ailleurs cette suite de chapitres ne prenait pas la forme d'une œuvre construite. Vers la fin de 1899, *Jean Santeuil* fut provisoirement abandonné.

M arcel Proust avait terminé ses études secondaires depuis plus de dix ans, et rien n'était venu jusqu'ici justifier l'ancienne admiration de ses amis, les espérances que son père et sa mère avaient mises en lui. Il ne semble pas pourtant qu'il ait eu le sentiment d'un échec. Il allait mieux, et lorsqu'une crise d'asthme s'annonçait, des cigarettes d'eucalyptus suffisaient ordinairement à la conjurer. Lorsqu'il paraissait dans un salon, on le sentait fier d'être jeune, beau, élégant. Il est vrai qu'à certains moments il avait l'impression de perdre son temps, de se disperser, de « devenir stupide ». Il se rassurait en pensant que cette activité tout extérieure lui était nécessaire, qu'il ne se portait bien qu'à ce prix, qu'il devenait plus fort.

Longtemps il lui avait fallu l'amitié de quelque jeune femme ou de quelque jeune fille, et plus d'un beau visage l'avait ému ou bouleversé (3). En 1886, alors qu'il n'avait que quinze ans, il avait aimé déjà, et d'un amour désespéré, qui lui avait fait souhaiter de mourir. Il s'agissait de Marie de Bénardaky. Nous savons qu'elle était belle, et d'une beauté qui rayonnait de vie et de joie. Puis, lorsque Marcel était encore à Condorcet, il avait été assidu auprès de Closmesnil, une des « grandes cocottes » de l'époque. Un peu plus tard, dans l'été 1891, il avait affiché une passion vive pour Jeanne Pouquet, qui allait bientôt épouser Gaston de Caillavet. Dans l'hiver de la même année, il accompagnait dans ses promenades matinales Laure Hayman, qu'il

Jeanne Pouquet

avait connue trois ans plus tôt, quand elle était la maîtresse de son oncle Louis Weil. Il allait la voir dans son petit hôtel de la rue Lapérouse, où Swann, plus tard, devait connaître les tortures de la jalousie auprès d'Odette. Il fut sensible au charme de Marie Finaly, sœur d'Horace Finaly son ami, et c'est à elle qu'il pensait, croit-on, lorsqu'il écrivit *la Sonate au clair de lune* qui figure dans *les Plaisirs et les Jours*.

Très vite aussi, il avait éprouvé pour des jeunes gens de son âge des amitiés passionnées. Quand il était en philosophie, Darlu lui demandait déjà, avec un sourire : « Encore un ami ? Quel numéro lui avez-vous donné quand il se présentait à la porte de votre cœur ? » Il avait eu successivement pour camarades préférés Jacques

Bizet, puis Horace Finaly, puis à l'époque de son service militaire, Gaston de Caillavet. Dans l'hiver de 1891-1892, il se prit d'une affection très vive pour un jeune Suisse, Edgar Auber. Celui-ci mourut le 18 septembre 1892, et l'amitié de Proust se reporta sur Robert de Flers. Puis au printemps de 1893, il rencontra un jeune Anglais, très raffiné et très beau, Willie Heath. Les deux jeunes gens formèrent « le rêve, presque le projet de vivre de plus en plus l'un avec l'autre dans un cercle de femmes et d'hommes magnanimes et choisis ». Mais voici que le 3 octobre 1893, Willie Heath mourait. Il avait vingt-deux ans. L'année suivante, grâce à Madeleine Lemaire, Proust noua avec Reynaldo Hahn une des grandes amitiés de sa vie. Pendant dix-huit mois, les deux jeunes gens furent inséparables. Puis, à l'automne 1895, Proust découvrit Lucien Daudet. Ces amitiés successives étaient, chaque fois, nous le sentons bien, de véritables passions. Il est curieux d'observer qu'à partir de 1891, Proust cesse de s'intéresser aux jeunes filles. Et il est notable aussi que les jeunes gens auxquels il s'attache alors ont en commun d'être beaux et d'un type de beauté à peu près le même chez tous. Mais avons-nous le droit d'imaginer autre chose ? Un texte bouleversant, que M. André Maurois a trouvé dans les *Cahiers* de Proust et qu'il a reproduit dans son livre, nous invite à penser que peut-être, pour le fils de Mme Proust, l'amour le plus passionné restait aussi le plus pur. Peut-être, pour reprendre les mots mêmes de Proust, peut-être redoutait-il plus que la mort que le jeune homme aimé pût jamais deviner le vice qui faisait sa honte et son remords. Peut-être joignait-il à son affection « une sorte de vénération et de respect » pour celui qu'il adorait.

Mais s'il est possible, s'il n'est pas improbable que certaines des amitiés de Proust aient conservé jusqu'au bout ce caractère de pureté désespérée, il n'en est pas moins certain que dès lors il avait accepté de faire dans sa vie la part du vice et de la honte.

Le premier indice que nous en ayons se trouve dans deux lettres que Proust écrivit pendant son année de philosophie. M. Ferré les a tenues entre les mains, sans avoir l'autorisation de les reproduire. Marcel Proust, nous apprend-il, y parlait avec complaisance, avec un accent de complicité, des jeunes gens qui

« s'amusent » avec un ami, trouvant ainsi à satisfaire leur goût de la beauté et l'appel de leurs sens. Le jeune philosophe allait jusqu'à traiter de « délicieuse » la « fleur » ainsi cueillie.

Nous avons d'autre part d'étranges aveux, de la main même de Proust, dans un texte qu'il écrivit vers sa vingtième année. Ses réticences, les formules enveloppées qu'il emploie ne sauraient nous empêcher de deviner la vérité. Il reconnaît que le principal trait de

Le principal trait de mon caractère.
La qualité que je désire chez un homme.
La qualité que je préfère chez une femme.
Ce que j'apprécie le plus chez mes amis.
Mon principal défaut.
Mon occupation préférée.
Mon rêve de bonheur.
Quel serait mon plus grand malheur.
Ce que je voudrais être.
Le pays où je désirerais vivre.
La couleur que je préfère.
La fleur que j'aime.
L'oiseau que je préfère.
Mes auteurs favoris en prose.
Mes poètes préférés.
Mes héros dans la fiction.
Mes héroïnes favorites dans la fiction.
Mes compositeurs préférés.

« Proust par lui-même »

son caractère, c'est le besoin d'être aimé, et, pour préciser, d'être « caressé et gâté ». Il avoue que la qualité qu'il désire chez un homme, ce sont des « charmes féminins ». Et lorsqu'on lui demande quel est son rêve de bonheur, il répond : « J'ai peur qu'il ne soit pas assez élevé ; je n'ose pas le dire... » Soyons sûrs que dès cette époque, il ne se fait plus d'illusion sur lui-même. Il sait qu'une affreuse passion s'est installée en lui, et qu'il ne lui sera pas possible de s'en guérir. L'idée du vice, dès lors, l'obsède. Elle apparaît dans ses premières publications. Plusieurs des récits recueillis dans les Plaisirs et les Jours reposent sur la révélation des répugnantes réalités du plaisir, et ses effets dans l'âme d'une jeune fille. En 1893, une nouvelle que Proust fait paraître dans la *Revue Blanche* introduit le thème de Sodome et de Gomorrhe.

Il avait donc abandonné pour le moment la composition de *Jean Santeuil*. Mais il ne renonçait pas à se faire connaître par des travaux littéraires. Au mois d'octobre 1899, il réussit à faire passer dans la *Presse* de Léon Bailby deux articles où il développait certains thèmes, les soupçons de la jalousie, l'affreux travail de l'imagination qui nous fait rêver, les plaisirs dont l'être aimé s'enchante loin de nous. Au début de la même année, il avait lu des pages de Ruskin qui l'avaient vivement intéressé. Il avait acheté le livre de La Sizeranne sur l'écrivain anglais. Il revint sur ce sujet pendant les vacances qu'il passa au mois de septembre à Évian. A la fin de l'année, il entreprit une étude sur *Ruskin et les cathédrales*. Quelques semaines plus tard, en janvier 1900, il apprenait la mort de Ruskin. Ce lui fut l'occasion de publier sur l'écrivain disparu des articles ou des notes dans la *Chronique des arts*, dans la *Gazette des Beaux-arts*, au *Mercure de France* et dans *le Figaro*.

L'idée lui vint alors de donner au public français des traductions de *la Bible d'Amiens* et de *Sésame et les Lys*. Il est vrai qu'il ne savait guère l'anglais. Sa mère l'aida. Et surtout il eut recours aux bons offices d'une cousine de Reynaldo Hahn, qui se trouvait être Anglaise, Marie Nordlinger. Il revoyait la traduction française, il mettait au texte de Ruskin des notes abondantes. Ce travail l'occupa plusieurs années. Un premier volume, *la Bible d'Amiens*, fut achevé d'imprimer en février 1904. Dans le même temps il faisait paraître divers articles dans *le Figaro* et dans une revue récemment fondée, la *Renaissance Latine*.

Il continuait de vivre avec ses parents. Ils étaient restés jusqu'en 1900 dans l'appartement du boulevard Malesherbes, calfeutré de rideaux, bondé de meubles lourds. Puis ils étaient venus habiter un appartement plus clair, 45, rue de Courcelles, au coin de la rue de Monceau. Le docteur Proust était, depuis 1884, Inspecteur général des services de Santé et avait été nommé en 1885 professeur à la Faculté de médecine. Son deuxième fils, Robert, se préparait à devenir médecin et montrait déjà les mêmes qualités d'intelligence et de caractère que son père.

Marcel était au contraire, pour le docteur et pour sa femme, un sujet d'inquiétude, et ne leur apportait que des déceptions. N'imaginons pas d'ailleurs un conflit continuel, une atmosphère de désaccords et de querelles. Proust a parlé plus tard, après la mort de son père, du bonheur qui régnait au foyer familial. Mais il a dit aussi, et très loyalement, la profonde différence des tempéraments. Il y avait des jours, a-t-il avoué, où il se révoltait devant ce qu'il sentait de trop certain, de trop assuré dans les affirmations du docteur Proust. Il se rendait compte qu'il était « le point noir de sa vie » et s'il s'efforçait de lui montrer sa tendresse, il comprenait aussi qu'il lui était impossible de le satisfaire.

Le professeur avait fait, de son côté, un grand effort pour comprendre son fils. Puisque Marcel voulait devenir écrivain, il invita chez lui les hommes de lettres qui pouvaient le mieux aider à la carrière du jeune homme. Il donna des dîners. On vit à sa table Doumic, Abel Bonnard, Lavedan, Hervieu, Abel Hermant. Il ne comprenait pas que dès lors la littérature signifiait pour son fils autre chose qu'une carrière mondaine, la *Revue des Deux Mondes* et, pour finir, l'Académie française. Mme Proust assistait avec une grande tristesse à ce désaccord profond de son mari et de son fils aîné. Sa raison, son sentiment du devoir l'obli-

Robert Proust et son père

geaient à appuyer les avis du docteur Proust. Il semble que, vers 1902, la situation était devenue difficile. Peu après le mariage de Robert Proust, les parents, inquiets des dépenses irréfléchies de Marcel, insistèrent pour qu'il y mît de l'ordre. Il se révolta contre cette exigence raisonnable et humiliante. Quand il invitait chez ses parents, sa mère parlait de « dîners de cocottes ». Les

choses en vinrent à ce point qu'ils donnèrent l'ordre aux domestiques de ne pas répondre quand Marcel les sonnait. Il se sentait
mis « en interdit ». Vers juillet 1903, au cours d'un dîner, l'un des
amis de Proust, Antoine Bibesco, laissa échapper que le jeune
homme venait de donner un pourboire extravagant : soixante
francs, c'est-à-dire à peu près deux cents francs lourds d'aujour-
d'hui. Devant ses invités, le docteur Proust éclata en une violente
fureur. Marcel pleura.

Ses relations avaient changé. Il lui arrivait de voir Montesquiou
et d'aller chez Mme Straus ou chez Mme de Caillavet. Mais il
ne voyait plus guère ses amis de Condorcet. Il avait formé de
nouvelles amitiés avec quelques jeunes gens du plus grand monde,
Gabriel de la Rochefoucauld, Antoine et Emmanuel Bibesco,
Bertrand de Fénelon. Au printemps de 1903, quelques autres
vinrent se joindre à leur groupe. C'étaient Armand de Guiche, le
prince Léon Radziwill, Louis d'Albuféra. Ils avaient la plupart
un goût vif pour les choses de l'esprit, ils aimaient presque tous la
musique et les lettres, il leur plaisait d'aller en groupe visiter
quelque cathédrale, Senlis, Laon, Amiens. Si l'on songe que
plusieurs d'entre eux eurent, avec des femmes, des liaisons qui
firent du bruit, on ne croira pas qu'il y ait eu, dans leurs relations
avec Proust, quelque chose qu'il leur fallût dissimuler.

Sans être bonne, la santé de Proust ne lui donnait pas, à cette date,
de trop graves soucis. Il est vrai qu'il restait au lit toutes ses matinées.
Mais il y travaillait. Il avait fait placer une table à son chevet, et
il écrivait. L'après-midi, il sortait pour voir le Louvre ou quelque
exposition de peinture, chez Durand-Ruel par exemple. Le soir,
il sortait. On le voyait dans « quelque grande fournée ». Ou bien
il donnait chez lui un dîner. Il y présidait, et son père et sa mère
y figuraient seulement comme invités. Certains de ces dîners étaient
« extrêmement élégants ». Grâce à Montesquiou, quelques-uns
des plus grands noms du faubourg Saint-Germain acceptèrent d'y
assister (4).

Cette situation mondaine, il était d'ailleurs prêt à la compromettre
pour défendre une cause qui représentait pour lui le parti de la
justice. A l'époque de l'affaire Dreyfus, il ne se borna pas à penser

que l'officier condamné était innocent, il le proclama. Il s'efforça de recueillir des signatures pour une adresse à Picquart. Autour de lui, on était dreyfusard. Anatole France l'était (5), et Mme de Caillavet, et Mme Straus. Mais Montesquiou ne l'était pas, ni la majorité de cette aristocratie dont on croyait Marcel Proust ébloui. On sent, à lire les lettres qu'il écrivit à cette époque, une vraie passion, la volonté d'agir. On y découvre la preuve d'une jeunesse et d'une santé qui ont besoin de s'affirmer.

De même, il était possible encore au jeune homme de voyager. Au mois de février 1900, il visita Rouen. Puis, au mois de mai, il alla à Padoue et Venise avec sa mère. En 1901, il fit un voyage d'études ruskiniennes à Amiens et à Abbeville. Il vit, avec sa mère encore, en 1903, Avallon, Vézelay et Semur (6). C'est alors que, coup sur coup, deux irréparables malheurs vinrent le frapper. Le 26 novembre 1903, le docteur Proust mourut, emporté en deux jours par une congestion cérébrale. Moins de deux ans plus tard, le 26 septembre 1905, Mme Proust disparaissait à son tour, après quelques jours de maladie. « Ma vie, écrivait son

Robert de Montesquiou

fils, a désormais perdu son seul but, sa seule douceur, son seul amour, sa seule consolation. » Mme de Noailles, à qui il osa dire sans réticence son affreux désespoir, en fut épouvantée. Elle le supplia de ne pas répéter à d'autres des confidences qui mettaient à nu le fond de son âme.

La première conséquence de ces deux grands malheurs fut que la santé de Proust, jusque-là fragile, devint alors détestable. Déjà après la mort de son père, il lui fallut envisager des séjours dans des établissements d'Allemagne et de Suisse. Il avait parfois, deux

jours de suite, de véritables convulsions d'asthme et d'asphyxie.
Au mois d'août 1905, un mois avant la mort de sa mère, une lettre
nous apprend qu'il se lève — quand du moins il se lève — à 11 heures
du soir, qu'il est toujours sous la menace d'une crise, qu'il ne peut
donc plus donner de rendez-vous. Dans une autre lettre du même
mois, il se plaint de vivre maintenant, « privé de tout, de la lumière
du jour, de l'air, de tout travail, en un mot, de toute vie ». Ses amis
ne pouvaient aller le voir qu'une heure par jour, entre six et sept
heures du soir.

On peut imaginer dès lors l'état de sa santé après la mort de sa
mère. C'est alors qu'il commença de vivre l'affreuse vie dont l'histoire a gardé le souvenir. Et le mal ne fit que s'aggraver pendant

Jean Cocteau

plusieurs années. En 1907, à
Cabourg, il réussit à s'habiller
tous les jours, à faire tous les
jours une promenade en voiture
fermée. L'année suivante, à
Cabourg encore, il dut se borner
à quelques brèves sorties sur la
digue. En 1909, il lui fallut rester
confiné dans l'hôtel. En 1910, il
ne sortit plus de sa chambre. A
Paris, il ne se levait plus qu'une
ou deux fois par mois. Il passait
ses journées au lit. Il avait, à portée de la main, une table encom-
brée de fioles et de cahiers d'éco-
liers, recouverte d'une couche
de poussière, car, nous précise
Cocteau, les domestiques avaient
ordre de ne l'épousseter jamais. Au milieu de la pièce, une autre
table était placée, où s'entassaient des photos de cocottes et de
duchesses, de ducs et de valets de pied de grande maison. Vers le
mois d'août 1910, Proust décida de faire tapisser sa chambre de
liège pour l'isoler des bruits. Il vivait dans une atmosphère
empuantie par les fumigations. Depuis le mois de février 1910 il

avait de l'albumine. Il lui fallait, pour résister, abuser du véronal
et des poudres anti-asthmatiques.

Il recevait les visites de ses amis. Mais ils n'étaient admis qu'à des
heures invraisemblables. Il les accueillait couché, presque toujours
habillé, cravaté, ganté. Parfois il renonçait à ce cérémonial. Henri
Bardac raconte qu'il avait cessé de voir Proust et s'était éloigné parce
qu'il ne pouvait supporter la laideur de l'appartement et les affreux
tricots du malade.

P roust ne renonça pourtant pas à travailler. On a dit qu'en
  1905, à la mort de sa mère, il entreprit *la Recherche* comme
un monument élevé à sa mémoire, comme l'accomplissement tardif
de son attente. L'idée est belle. Mais à moins que des documents
nouveaux ne viennent un jour l'appuyer, il ne semble pas qu'elle
soit exactement vraie. Au moment où sa mère était morte, la traduction de *Sésame et les lys* était sur le point d'être publiée. Après
une interruption, il se remit à la correction des épreuves, et l'ouvrage
parut, au mois de mai 1906.

Mais il commençait à se lasser de ce genre de travail. Au mois de
juin, il écrivait à un ami : « Tout ce que je fais n'est pas du vrai
travail, mais seulement de la documentation, de la traduction. »
C'est à cette époque qu'il comprit, pour employer ses propres
termes, qu'il s'était trompé en sacrifiant son intelligence à son repos.
Nous le voyons, dans la même lettre, sollicité par l'idée d'une œuvre
véritable, et qui serait un roman. Maintenant, écrit-il, qu'après
une longue torpeur il avait pour la première fois tourné son regard
vers l'intérieur, vers sa pensée, cent personnages de roman, mille
idées venaient lui demander de leur donner un corps « comme ces
ombres qui demandent dans l'*Odyssée* à Ulysse de leur faire boire
un peu de sang pour les mener à la vie, et que le héros écarte de
son épée ».

Ce mois de juin 1906 pourrait bien avoir marqué le tournant décisif
dans la vie de l'écrivain. Mais il tâtonna encore deux ans. C'est
que plusieurs projets le sollicitaient. La correspondance publiée, et

que les admirables travaux de Philip Kolb ont rendue utilisable pour l'historien, nous permet à travers bien des obscurités d'en dessiner le développement.

Parmi ces projets, il en est un qui a laissé des traces dès 1907. Cette année-là, Proust fait paraître au *Figaro*, non plus des chroniques mondaines, mais des pages de souvenirs qui ont pris place plus tard dans *la Recherche*. On devine ce qui s'est passé, et qu'il reprend alors l'idée de *Jean Santeuil*, le projet d'un roman qui ressusciterait, qui interpréterait les souvenirs de son enfance.

Mais d'autre part, il est question dans sa correspondance, à partir du mois de mai 1908, d'un projet de nouvelle. Une lettre à Robert Dreyfus permet, semble-t-il, d'en découvrir la genèse. A la fin de 1907, le scandale de l'affaire Eulenbourg, à la cour d'Allemagne, a éveillé l'attention du public français. Proust a d'abord songé à faire un article sur ce sujet qui depuis longtemps l'intéresse. Puis, au lieu d'un article, il pense à composer une nouvelle. Il en est là en mai 1908. Mais il hésite. D'abord parce qu'un tel sujet ne trouvera pas facilement où paraître, en revue ou en volume. Et aussi parce que son actualité gêne l'écrivain. Il se fait maintenant de l'art une idée très haute et il ne lui semble pas qu'on puisse faire dépendre la réalisation d'une œuvre littéraire de ces « raisons anecdotiques ». Enfin il voudrait écrire un ouvrage de critique. Mais il ne se décide pas sur la forme qu'il conviendrait de lui donner. Il songe à une sorte de critique en action, à une critique qui ferait sentir les procédés de style et, mieux encore, les démarches de la pensée d'un écrivain. Il entreprend donc des pastiches.

Les premiers parurent aux mois de février et de mars 1908 dans *le Figaro*. Ils reçurent un accueil flatteur, et Proust, au mois d'avril, envisagea d'en faire un volume qui paraîtrait chez Calmann-Lévy. Il dut y renoncer d'ailleurs. Mais il continua, de temps à autre, à écrire des pastiches, en décembre 1908 notamment et au cours de l'année 1909. Il fit alors une démarche auprès du *Mercure de France*. Mais Vallette ne montra pas plus de compréhension que Calmann-Lévy. La plupart de ces pastiches restèrent, pour le moment, dans les cartons de leur auteur.

Il avait conscience, depuis le début, de n'écrire des *Pastiches* que par paresse de faire de la critique littéraire. Dès le mois de mars 1908, il l'avouait à Robert Dreyfus, et il ajoutait que peut-être il allait être forcé d'écrire un véritable ouvrage de critique pour expliquer ses *Pastiches* à ceux qui ne les comprendraient pas. Au mois de novembre, une autre lettre nous apprend qu'il a fait choix d'un sujet : ce serait un ouvrage sur Sainte-Beuve. Mais il se demandait encore la forme qu'il lui donnerait. Serait-ce un essai de forme classique? Il était tenté par une présentation plus originale. Ce serait alors un récit. Sa mère viendrait près de son lit, et il lui raconterait l'article qu'il voulait faire. Ce projet d'ailleurs n'était pas tout à fait nouveau, et il y songeait depuis un an, avant même d'avoir commencé ses *Pastiches*.

Proust n'oubliait, pendant ce temps, ni le projet de nouvelle, ni le roman. Au mois de mai, nous le voyons qui demande à un ami si le nom de Guermantes est libre, et si un romancier peut le prendre pour son livre. Il semble que, vers cette date, l'idée lui soit venue de fondre la nouvelle et le roman, et même d'y introduire la matière du *Sainte-Beuve*. A partir de ce moment en effet, ou plus exactement à partir du mois d'août, lorsqu'il fait mention de l'ouvrage en préparation, il en parle comme d'une œuvre à la fois longue et inconvenante, et d'autre part il appelle son *Sainte-Beuve* une œuvre « obscène », ce qui n'aurait aucun sens si l'œuvre inconvenante n'était, comme il l'avait prévu d'abord, qu'une nouvelle, ou si l'ouvrage de souvenirs n'avait été grossi de l'épisode inspiré du scandale Eulenbourg, ou si *le Sainte-Beuve* était demeuré ce qu'il devait être, une œuvre de pure critique.

De toute façon Proust s'impose, en juin et juillet 1909, un énorme effort. Dans une lettre de juillet, il confiait qu'il n'avait pas éteint l'électricité depuis soixante heures. L'œuvre qu'il intitulait alors *Sainte-Beuve* avait déjà quatre ou cinq cents pages. Il se croyait près du terme de ses efforts, il écrivait à Mme Straus à la fin d'août : « Je viens de commencer et de finir un roman. » Il ajoutait d'ailleurs : « Si tout est écrit, beaucoup de choses sont à remanier. » Au mois d'août, il vint passer ses vacances à Cabourg. Calmette s'y trouvait. Proust lui parla de son roman, et le directeur du *Figaro* promit à l'écrivain de publier son œuvre dans le journal. Mais

Proust ne l'avait pas averti de la longueur de l'ouvrage et de l'inconvenance de certaines de ses parties.

De retour à Paris, Proust continua de travailler avec le même acharnement. Il fit copier au net les deux cents premières pages, et il en fit la lecture vers la fin de novembre, à Reynaldo Hahn (7). Il continuait d'appeler l'ouvrage, son *Sainte-Beuve*. Mais l'aspect de roman prenait décidément le pas sur celui d'une œuvre de critique. A cette époque, nous voyons Proust qui se sépare du *Port-Royal* de Sainte-Beuve parce que désormais il n'en aura plus besoin. A partir de 1910, il cessa d'appeler son ouvrage *le Sainte-Beuve*. Il l'appela simplement « son roman ».

Il passa les deux années suivantes à développer son « long ouvrage », mais l'œuvre s'allongeait devant lui et prenait des dimensions imprévues. Au mois de mars 1912, le roman formait un ensemble de huit cents pages, en deux parties. Mais en juillet, l'écrivain parlait de treize cents pages. A cette date, il se demandait s'il diviserait son roman en deux volumes de sept et de six cents pages, ou s'il en ferait quatre volumes de deux cents pages en moyenne. En octobre, le diptyque était devenu un triptyque. Les titres du premier et du troisième volumes étaient choisis. Ce serait *le Temps perdu* et *le Temps retrouvé*. Pour le second volume, Proust hésitait encore. Serait-ce *A l'ombre des jeunes filles en fleurs* ou l'*Adoration perpétuelle*? De même, il ne se décidait pas pour le titre de l'ensemble. Mais il prévoyait *les Intermittences du cœur*.

Ce travail se développait dans un climat de maladie constamment aggravée. Proust ne se levait presque plus. Il avait changé d'aspect. Les grâces de la jeunesse avaient disparu. Marie Nordlinger notait ses yeux embrasés, son teint blême, son visage encadré d'une barbe noire. Et se souvenant du jeune homme élégant qu'elle avait connu, elle s'interrogeait. Était-ce bien lui? Mais ne disait-il pas à Montesquiou, en décembre 1910, que son livre était sa grande préoccupation, après lequel, écrivait-il, « je remets tout, et de vivre »?

Calmette n'avait pas tenu sa promesse d'accueillir l'œuvre au *Figaro*. Il ne songeait même plus à la recommander à Fasquelle, comme il l'avait proposé. Au mois d'octobre 1912, Proust s'adressa donc lui-même à l'éditeur, et dans le même temps il entra en rapport avec Gaston Gallimard. Il avait en main un manuscrit au net, recopié et corrigé. Il possédait en outre le texte dactylographié des six cents premières pages. Il envoya ce texte à Fasquelle, il en envoya un autre, mais qui ne contenait pas les dernières corrections, à la *Nouvelle Revue Française*. Mais Fasquelle retourna, en décembre, le manuscrit, avec un refus poli. Les négociations chez Gallimard échouèrent également. En janvier 1913, Proust fit une autre tentative chez Ollendorff. Le refus, cette fois, fut brutal. Le mois suivant l'écrivain s'adressa à Bernard Grasset. Mais le volume devait paraître « à compte d'auteur » et Proust prenait à sa charge les frais de l'impression. Le contrat fut signé le 11 mars 1913.

La correction des épreuves commença au mois d'avril. Dans son lit, qu'il ne quittait plus guère, Proust se livra à un immense travail d'additions, de suppressions et de corrections. Il ne laissa pas, a-t-il dit lui-même, une ligne sur vingt de l'ancien texte. Lorsqu'il avait passé contrat avec Grasset, il était entendu que le roman paraîtrait en deux volumes. Il apparut qu'il en faudrait trois. A la fin d'août, Proust bouleversait une nouvelle fois la fin du volume déjà imprimé. Au surplus, il lui fallut, par pure nécessité matérielle, couper les dernières pages, les remplacer par une conclusion plus courte. Il alla jusqu'au bout de son effort, et *Du côté de chez*

« Du côté de chez Swann »

Swann parut en librairie le 14 novembre 1913. Il était tiré à mille sept cent cinquante exemplaires. Deux autres volumes étaient prévus et annoncés : *Le côté de Guermantes* et *le Temps retrouvé*. Les trois parties dont était formé l'ensemble devaient porter un titre collectif : *A la Recherche du Temps perdu* (8).

Cette année de terrible travail avait été aussi, pour l'écrivain, une année de cruelles souffrances morales. Si mal que nous soyons informés sur cette crise, il n'est pas impossible d'en discerner les grandes lignes. Proust avait connu à Cabourg, en 1907, un jeune chauffeur de taxi, Alfred Agostinelli, originaire de Monaco, qui s'était montré merveilleusement intelligent, délicat, sensible. Il l'avait retrouvé l'année suivante. Puis il l'avait perdu de vue. Mais en 1912 Agostinelli s'était présenté chez lui, à Paris, et lui avait demandé de l'employer. Proust accepta. Il prit le jeune homme pour secrétaire et lui confia le soin de dactylographier son roman. Agostinelli s'installa donc chez lui, avec celle qu'il faisait passer pour sa femme.

Il ne semble pas que cette présence dans l'appartement de Proust ait d'abord apporté le trouble dans sa vie intime. Mais à la fin de 1912, nous le voyons qui demande à ses amis d'être prudents au téléphone et dans leurs lettres, de mettre un cachet sur les enveloppes qu'ils lui adressent. Puis, à partir des premiers mois de 1913, nous observons dans sa correspondance des allusions continuelles à de « grands chagrins » qu'il n'explique pas. Ses plaintes deviennent de plus en plus poignantes. Dans une lettre à Louis de Robert, pendant l'été de 1913, il parle d'un chagrin « immense et toujours renouvelé », qui s'est abattu sur lui. Au mois de novembre il écrit : « Je traverse depuis quelques mois une période terrible de maladie et d'ennui. » Quand son livre parut, il était au plus fort de la crise. Les félicitations de ses amis ne réussissaient pas à le tirer de son désespoir. Une lettre chaleureuse de Francis Jammes, en janvier 1914, lui parvint un jour où, dit-il, il était « complètement fou de chagrin ». La raison de cette grande douleur, nous la devinons. Il s'était pris pour Agostinelli d'un sentiment plus passionné que pour aucun des jeunes gens dont l'amitié avait jusqu'alors occupé sa vie, et ne pouvait être comparé, en intensité, qu'à l'amour qu'il avait porté jadis à sa mère. Mais le jeune homme n'acceptait pas de se laisser enfermer dans une affection tyrannique et jalouse. Il annonçait qu'il partirait. Proust s'efforçait de le retenir par l'appât de l'argent. Ses largesses furent telles qu'il se mit à jouer à la Bourse pour compenser la diminution de son capital et combler les pertes que lui coûtait sa folle générosité. Mais cette politique servait seulement à provoquer de nouvelles menaces de départ. Agostinelli voulait devenir aviateur. Il avait amassé, grâce aux prodigalités de Proust, une somme considérable qui lui permettait d'être libre de ses décicions. Un jour, en décembre 1913 probablement, il quitta Paris. Il alla d'abord à Monaco, sa ville natale. Puis, vers le début d'avril 1914, il s'inscrivit à l'école d'aviation d'Antibes.

Sur ses traces Proust envoya un de ses hommes de confiance, Albert Nahmias. Il faisait passer à celui-ci ses instructions en des télégrammes d'une longueur extravagante. Agostinelli ne revint pas. Un accident vint d'ailleurs mettre fin à sa brève carrière. Le 30 mai 1914, avec l'avion qu'il pilotait, il s'abîma dans les eaux du golfe d'Antibes. Proust apprit par un télégramme la mort de celui qu'il avait le plus aimé et qui lui avait infligé ses plus grandes souffrances. A quel point cette mort le frappa, nous pouvons seulement le deviner. Ses lettres ne nous instruisent guère, et se bornent à quelques allusions. Mais plus tard, il a dit qu'à cette époque, lorsqu'il prenait un taxi, son vœu le plus ardent était que l'autobus qui venait sur lui, l'écrasât. Et puis la vie repris son cours.

Grasset commença, au début de juin 1914, à imprimer *le Côté de Guermantes*. Il ne lui fallut que quinze jours. Mais alors Proust suspendit le travail. Il ne corrigea pas les épreuves. Si nous nous en tenons à une lettre qu'il écrivit alors à Montesquiou, il était « incapable de se relire », et il remettait la correction des épreuves à plus tard parce que sa peine était trop grande. Mais si nous observons qu'en fait il ne se remit jamais à ce travail, que le volume déjà entièrement imprimé fut abandonné, et qu'un nouveau plan de *la Recherche* apparut alors, qui allait nous raconter Albertine prisonnière et disparue, nous croirons plutôt, pour reprendre la belle formule de Robert Vigneron, « que Proust voulut alors consacrer à l'amour et à la douleur l'immense cathédrale de *la Recherche*, comme un monument en l'honneur de son ami disparu ».

Il n'avança d'abord que lentement dans son entreprise. C'est seulement au mois d'octobre 1917 qu'il reçut les premières épreuves du second volume entièrement remanié. Le titre même était changé. Ce n'était plus *le Côté de Guermantes*, c'étaient *les Jeunes filles en fleurs*. L'ensemble de *la Recherche* à cette date devait comporter quatre ou cinq mille pages, et nous apprenons, en juillet 1918, que cette masse formait cinq volumes. Retardées par les lenteurs des typo-graphes, *les Jeunes filles en fleurs* parurent seulement au mois de juin 1919.

Ce gonflement du projet primitif se poursuivit trois ans encore. Au milieu de 1920, Proust décida de faire deux volumes avec *le Côté de Guermantes*. Puis, en avril 1921, on apprit que *la Recherche* aurait, non plus trois, non plus cinq volumes, et qu'elle en formerait huit. Mais en 1922, les huit volumes ne suffisaient plus. On en annon-çait dix. Ils paraissaient chez Gallimard, et non plus chez Grasset. Il n'est pas besoin de préciser que ce n'était plus « à compte d'au-teur ». L'ensemble était destiné à former seize volumes.

A ce travail forcené, Proust se livrait malgré les progrès de son mal. Il est vrai d'ailleurs qu'au temps qui suivit la publication de *Swann* et malgré la mort d'Agostinelli, la santé de l'écrivain s'était, semble-t-il, améliorée. Sans doute se plaint-il, dans une lettre, en 1915, d'être plus souffrant. Mais en 1917 l'image que nous pouvons nous faire de sa vie, l'activité qu'il déploie, prouvent qu'il va mieux. Il s'était fait de nouvelles relations. Robert Dreyfus, Lucien Daudet, Reynaldo Hahn s'étaient éloignés ou bien espaçaient leurs visites. Il ne voyait plus Madeleine Lemaire depuis 1907. Gabriel de la Rochefoucauld, Antoine Bibesco lui restaient fidèles. Il était en rapports suivis avec le comte de Beaumont, avec la prin-cesse Soutzo, les Hennessy, les Murat, avec Copeau et Gide. Il recevait ses amis au Ritz, il faisait des apparitions dans les grandes soirées mondaines.

Il n'en vivait pas moins calfeutré dans sa chambre la plus grande partie de son temps. Il y avait longtemps qu'il avait quitté la rue de Courcelles. Après la mort de sa mère, et jusqu'en 1919, il avait vécu dans un appartement, boulevard Haussmann. L'immeuble appartenait à sa famille depuis trente ans. En 1907, sa tante Georges Weil en était devenue l'unique propriétaire. L'appartement était fort laid, et il le détestait. Mais il se rappelait que du moins il vivait dans des murs où sa mère avait respiré. En 1919, il fut obligé de chercher refuge ailleurs. Il habita, quelques mois, grâce à Réjane, un garni de la rue Laurent-Pichat. Puis il loua, vers le 1er octobre

1919, un meublé qu'il trouvait hideux, mais dont il lui fallut se contenter, 44, rue Hamelin.

Nous avons, sur la chambre où fut écrite la plus grande partie de *la Recherche*, des témoignages attristants. Des témoins ont dit l'âtre noir, les grands lambeaux de papier peints qui pendaient aux murs, l'entassement des cahiers et des feuilles volantes, parmi les fioles et les boîtes de médicaments. Proust avait pourtant gardé près de lui deux serviteurs dévoués, Odilon Albaret, son chauffeur et la femme d'Odilon, Céleste, qui était entrée à son service en 1913 lorsqu'elle s'était mariée. Active et intelligente, elle se chargeait de téléphoner aux amis de son maître, de lui rendre moins difficiles ses sorties du soir. Elle lui servait de valet de chambre et de garde-malade.

Quand il sortait, ses amis étaient effrayés de son aspect. Edmond Jaloux nous dit qu'en 1917 il donnait l'impression de sortir d'un cauchemar. Un témoin rapporte qu'il paraissait une sorte de mort convalescent, de fantôme aux yeux ouverts. Les paupières étaient lourdes, les yeux cernés d'un cercle noir. Proust tenait la tête en arrière, et la cage thoracique étrangement bombée. La démarche était lente.

Plus souvent, il recevait chez lui. Mais que ce fût près de son lit qu'il reçût ses amis, ou qu'il sortît pour les rencontrer, on se rend compte qu'il voulait seulement s'instruire auprès d'eux, obtenir d'eux un renseignement qu'il mettrait ensuite dans son livre. Il lui arrivait de dire à Odilon, après qu'un de ses amis l'avait quitté : « Jusqu'à présent, il ne m'a raconté que des mensonges, et il croit que je le crois. Je vais le faire venir encore une fois, et je ferai écrouler tout son édifice de mensonges. »

Il portait maintenant sur les hommes un jugement sans illusion ni pitié. Il lui plaisait de découvrir la toute-puissance du mal et les formes les plus monstrueuses du vice. On a dit qu'il avait commandité une maison de rendez-vous où se rencontrait « l'aristocratie de Sodome ». On a prononcé le nom de celui qui la dirigeait, et celui de la rue où elle se trouvait. On affirme que Proust s'y rendait pour observer de près, secrètement, les formes de perversion les plus basses. Il ne semble pas que ces allégations puissent être écartées, et les derniers volumes de *la Recherche* n'évoquent que trop bien cet univers de soufre et de boue.

D'autres jeunes gens avaient succédé à Alfred Agostinelli. Nous sommes naturellement très mal informés. Mais en 1918 la correspondance nous apprend qu'un événement s'est produit qui plonge Proust dans un état de tristesse et d'hébétement qui touche à la folie. En mai 1919, une de ses lettres parle d'un amour malheureux qui finit. Il s'agissait d'un jeune garçon qu'il avait recueilli quelques mois plus tôt, et qui, a-t-il écrit ailleurs, n'était pas gênant, car il ne disait rien. On a cité, en 1921, un jeune Suisse, un certain Henri Rochat, à qui Proust finit par trouver une place en Amérique. Il y eut plus d'un « prisonnier », sans doute, dans la vie de l'écrivain. Cet homme, livré à ses démons, consacrait pourtant le meilleur de ses forces à la réalisation de son œuvre. Et le succès venait. Quelques amis fidèles agissaient pour lui. Le 10 novembre 1919, il obtint le prix Goncourt. Il en fut heureux. Il fut heureux des articles des critiques, des lettres de félicitations qu'il reçut. Des amitiés littéraires lui venaient. Il semblait oublier ce qu'il avait dit de l'amitié et de son caractère d'illusion. Mais il avait dit aussi que les grandes œuvres créent les esprits qui seront capables de les admirer. Le succès, tel qu'il l'avait enfin obtenu, était certainement, pour lui, la preuve de sa force (9).

Après une période d'accalmie, le mal reprit en 1919. Il se plaint alors de troubles de la parole. Il a des accidents de diction qu'il juge graves. Il soigne avec de la caféine des crises cardiaques de plus en plus fréquentes. En 1921, il resta couché sept mois de suite. L'année 1922 fut « épouvantable ». L'aggravation du mal s'accélérait et revêtait des formes de plus en plus pénibles. Il souffrait au point qu'il regrettait parfois de n'avoir pas du cyanure de potassium. Le 2 mai, il avala par mégarde de l'adrénaline pure. Il s'évanouit. Au mois de juin, sa température se tint constamment au-dessus de 39°. En septembre, des accidents se produisirent, provoqués, pensa-t-il, par des fuites de gaz carbonique. Il ne pouvait faire un pas sans tomber. Il devenait aphasique.

Il savait maintenant que la mort était là, toute proche. Il craignait de ne pouvoir achever son œuvre. A Madame Pouquet qui l'invitait, il répondait : « J'ai un travail pressé à finir. Oui, très pressé. » Et à Céleste : « La mort me poursuit, Céleste. Je n'aurai pas le temps. » Son organisme était à bout. En octobre, une bronchite se déclara. Il aurait voulu ne plus perdre un instant et, pour cela, tenir les médecins à l'écart. « Je défends, déclara-t-il, que l'on m'empêche de travailler. » Le 17 novembre, il se crut mieux. Il se remit à corriger des épreuves. Il fit encore au texte quelques additions. A 3 heures du matin, il appela Céleste et lui dicta un long développement. Il en fut content. Le lendemain, 18 novembre 1922, à 4 heures de l'après-midi, il mourut. Mais il avait gagné la partie qu'il jouait depuis dix ans. La mort ne l'avait pas devancé. Il avait eu le temps d'aller jusqu'au bout de sa tâche et de donner au monde *la Recherche du Temps perdu*.

A. A.

(1) Gilbert Sigaux, au chapitre II, « Le narrateur et sa famille », expose comment Proust a utilisé dans son œuvre, en le transposant, son milieu familial (n. d. l. r.).

(2) Jean-François Revel analyse, chapitre III, « Un roman sans romanesque », les caractéristiques de la conception et de la structure qui firent de « A la Recherche du Temps perdu » une œuvre d'une originalité hors pair (n. d. l. r.).

(3) Emmanuel Berl, dans le chapitre IV, « l'Amour », étudie le rôle capital tenu par l'Amour, sous ses divers masques, chez Proust (n. d. l. r.).

(4) Matthieu Galey démontre, au chapitre V, que, par l'importance qu'y jouent le comique et le snobisme, le roman de Proust est « Une véritable Comédie humaine » (n. d. l. r.).

(5) José Cabanis, dans « Bergotte ou Proust et l'écrivain », sujet du chapitre VI, évoque, à travers les clés du personnage de Bergotte, la condition de l'homme de lettres selon Proust (n. d. l. r.).

(6) Jean Grenier présente, au chapitre VII, « Elstir ou Proust et la peinture », la conception de Proust sur l'art en général et la peinture en particulier (n. d. l. r.).

(7) François-Régis Bastide pose, dans le chapitre VIII, « Vinteuil ou Proust et la musique », le problème des rapports de Proust avec la musique et celui de son roman avec les règles et l'ordonnance de la composition musicale (n. d. l. r.).

(8) Pascal Fieschi a répondu, dans le chapitre IX, « Le Temps perdu est retrouvé », à ces deux questions : Jusqu'à quel point Proust est-il bergsonien? et quelle place le Temps tient-il dans son œuvre ? (n. d. l. r.).

(9) Thierry Maulnier de l'Académie française consacre le chapitre X, « Nous sommes tous ses héritiers » à l'étude de l'influence décisive de Proust sur la littérature d'aujourd'hui comme sur celle de demain (n. d. l. r.).

LECOMTE·DU·NOUŸ·AU·DOCTEUR·PROUST

1·8·8·5

Le professeur Adrien Proust

CHAPITRE II

Le
« narrateur »
et sa famille

PAR GILBERT SIGAUX

L es relations de Marcel Proust avec sa famille constituent non
pas un mais plusieurs sujets que leur nature même rend difficiles à aborder dans une lumière entièrement satisfaisante. D'une
part, ils appellent un minimum de réserve (qui vise non à ménager
les convenances, mais à ne pas transformer des hypothèses complexes, et parfois contradictoires, fournies par l'analyse en affirmations indémontrables); d'autre part, ils traversent un domaine
dont l'exploration est loin d'être achevée : si l'on songe aux données
capitales fournies par la publication de *Jean Santeuil* et de *Contre
Sainte-Beuve* par exemple, on peut supposer que la mise au jour de
lettres inédites, de documents divers, permettra de mieux connaître,
dans les années à venir, la vie de Proust et la genèse de son œuvre;
enfin ces sujets touchent à la fois à des données proprement biographiques et à leur diffusion, à leur transposition dans l'œuvre : et

la signification de ces données n'est pas la même selon qu'on la rapporte à l'homme-Proust ou au Marcel du roman.

Il faut insister sur ce dernier point car il est d'une grande importance pour la compréhension de Proust. *A la Recherche du Temps perdu* (nous abrégerons dorénavant en : *la Recherche*) est en effet à la fois une œuvre étroitement personnelle et finalement détachée;

une œuvre inséparable de l'expérience intime de son créateur et une peinture où ce créateur atteint à une objectivité « classique »; la chronique d'un monde (ou d'une époque, d'un morceau de temps) et l'analyse d'un moraliste sans âge. Cette ambiguïté de *la Recherche* — enracinement et signification *absolue* (1) — se reflète, se retrouve, dans les rapports entretenus par Proust avec ses modèles, et singulièrement avec ses modèles familiaux. D'une part, il leur est fidèle, il se conduit en chroniqueur précis (et attendri, soucieux du détail, des plus subtiles inflexions des

La grand-mère de Proust

êtres); d'autre part, il transforme avec une entière liberté certaines données, certains destins même, pour satisfaire à l'équilibre général du roman.

Or, il se conduit (quand il travaille ainsi sur des matériaux qui lui ont été en quelque sorte fournis par les siens) il se conduit en artiste, c'est-à-dire en égoïste. Il obéit à des lois qui ne s'accordent pas avec la morale des siens; et pour ne pas trahir son art il risque de paraître trahir les siens. Ou plutôt il *risquerait* de trahir les siens s'il n'avait, précisément, réussi à leur donner dans *la Recherche* une place à part; à les préserver, pourrait-on dire, du péché originel.

● *(1) L'italique dans tout le chapitre est notre fait.*

Il faut, je crois, garder ceci présent à l'esprit quand on aborde les questions qui concernent Proust et les siens : ils lui sont restés sacrés, jusqu'à la fin; quand, dans son œuvre, une mère approche de l' « enfer », ou perd quelque chose de sa pureté, ce n'est pas de la sienne qu'il s'agit, si forte que puisse être la contrainte de l'art; tous les modèles plient, non celui-là.

Ainsi la famille du narrateur constitue-t-elle un groupe humain dont la peinture appartient à deux styles : quand les personnages dépendent étroitement de *l'espèce*, ils sont montrés sans masques, sans voiles (mort de la grand-mère); mais, dans la vie quotidienne, courante, banale, ils ne sont pas mêlés aux autres personnages. Ils demeurent des êtres protecteurs, des compagnons privilégiés; jamais ils ne deviennent des sujets d'expérience.

L e milieu familial de Proust — que le lecteur connaît grâce à l'évocation d'Antoine Adam et dont nous ne rappellerons pas les « coordonnées » proprement biographiques — comprend des groupes de composition différente selon qu'on se place dans une perspective psychologique (c'est-à-dire en songeant à l'importance des individus dans la vie de l'homme-Proust) ou dans une perspective littéraire, celle du passage des membres de la famille de Proust dans son œuvre, de leur transposition, de leur *mutation* en personnages de *la Recherche*.

Le premier groupe, dans l'optique familiale, comprend, outre les parents de Marcel et son frère Robert, sa grand-mère maternelle Mme Adèle Weil et le mari de cette dernière, Nathée Weil; le frère de Nathée, Louis Weil; un fils de Nathée, Georges, frère aîné de Mme Proust; et, à Illiers, pays natal du Dr Adrien Proust, sa sœur Françoise-Élisabeth-Joséphine, épouse de Jules Amiot.

En « passant » dans le roman, ce groupe familial subit plusieurs transformations, qui ne sont pas toutes de même nature, et que nous indiquons en premier lieu de façon sommaire pour fixer les idées du lecteur.

Le père du narrateur n'est plus médecin mais « directeur au Minis-

tère » (1) ; la mère et la grand-mère font l'objet d'une fusion qui
donne à la seconde certains traits de la première; le frère disparaît;
le grand-père Nathée, qui se nomme simplement « mon grand-père »
semble — car on le connaît, authentiquement, assez mal — avoir été
recréé à partir de traits qui ont pu lui appartenir mais venir aussi
de son frère Louis et de son fils Georges; de ces deux derniers,
le premier nommé nourrit le personnage de l'oncle Adolphe,

Madame Proust

alors que le second, au contraire,
semblerait plus proche du grand-
oncle du narrateur, ce qui, en
passant du réel au roman, re-
serre les liens du premier de
Proust au narrateur, et étire
ceux du second. Enfin, Françoise
Amiot, tante de Proust par son
père, devient la tante Léonie,
ou, plus exactement, « sert » au
personnage de la tante Léonie,
qui, rappelons-le, est veuve de
l'oncle Octave, évoqué dans
quelques passages de la première
partie de *Du côté de chez Swann.*
Il convient, avant d'aller plus
loin, de rappeler quelques données concernant les identités de
certains personnages de Proust et le « flou » qu'un lecteur soucieux
de cohérence découvrira fréquemment en superposant (comme, en
somme, le lui aura appris une des expériences capitales de l'auteur
lui-même) deux images prises par lui à deux endroits différents
du roman.

La première de ces données est d'ordre pratique, matériel : Proust
n'a pas écrit son œuvre d'une seule coulée; en cent endroits, il a
travaillé sur un « canevas » ancien ou plus ou moins élaboré dans

● *(1) T. I, p. 701. Toutes les références concernant « A la Recherche du temps
perdu » renvoient à l'Edition de la Pléiade (n. d. l. r.).*

un passé récent; il a fréquemment aussi, déplacé des « suites »,
des morceaux, des pages ou des paragraphes en les incorporant à
un passage antérieur ou postérieur, pour obtenir un nouvel effet
— musical ou de perspective. D'autre part, il n'a pas vraiment
achevé la mise au point de son livre, dont l'orchestration d'ensemble
lui importait davantage, dans les dernières années (et les derniers
mois) de sa vie, que les accords de détail.

C'est à cette double cause — travail de refonte ou de marqueterie
et manque de temps — qu'il faut attribuer nombre de petites
« erreurs », de confusions, de différences dans les appellations.
Ainsi la « grand-tante » du roman, qui est la mère de Léonie, est
parfois confondue avec cette dernière; l'une des sœurs de la grand-
mère, Flora, change de prénom et devient, dans un seul passage
il est vrai, Victoire... Ces variations, au demeurant, portent sur des
personnages secondaires ou des événements très limités. Elles n'al-
tèrent aucunement la qualité des personnages, le sens donné à leur
vie, leur rôle dans la destinée du narrateur.

Le travail qui transporte, transplante, transforme ou métamorphose
des personnages réels, connus de Proust, pour leur donner un
rôle particulièrement important, significatif dans la chronique
commémorative de *la Recherche*, est de nature bien différente selon
qu'il s'agit soit d'êtres avec lesquels l'auteur a, ou a eu, un lien
passionnel soit de « figurants » de sa propre vie.

Cette remarque, qui vaut pour l'ensemble des créatures du livre,
s'impose particulièrement quand on examine le *passage* de la famille
de Proust de la vie à la littérature. Car si les modifications que
l'écrivain fait subir à la plupart des personnages de son roman
qui peuvent être reliés à des personnes historiques (avec toutes les
nuances et prudences que cela comporte) si ces modifications
obéissent essentiellement à des lois artistiques, à des nécessités
d'ordre romanesque, et parfois n'obéissent qu'à ces contraintes
« techniques », il n'en est pas de même en ce qui concerne les
membres de sa famille.

Pour ceux-ci, intervient un élément passionnel de qualité particulière, qui participe à la fois de l'attachement du créateur, attachement qui conserve un caractère en quelque sorte sacré et de son

besoin de justification, de sa recherche d'un salut. Nous anticipons
ici sur notre conclusion parce qu'il est nécessaire, quand on tente
de voir Proust dans sa vérité, de garder présentes à l'esprit les deux
valeurs essentielles sur lesquelles il joue sa destinée : la perfection
de son œuvre et, intimement liée à celle-ci, la conquête d'une vérité
qui le sauve. *La Recherche*, vue sous cet angle, c'est son Arche; il
y place un monde, des vivants et des morts, qu'il livre au Temps.

N ous n'avons pas à refaire le portrait du Dr Adrien Proust;
on connaît sa carrière, les honneurs qu'il reçut, les milieux
qu'il fréquenta. Mais il convient de rectifier la vue selon laquelle
l'attachement de Marcel à sa mère aurait comme accompagnement
nécessaire un éloignement du père, et même un refus de l'univers
représenté par le père. Il y a là, me semble-t-il, une utilisation abusive d'une grille psychanalytique classique.

A côté des éléments tragiques de la vie de Proust, il en est qui sont
facteurs d'accord, de trêve, d'oubli si l'on veut; la vie profonde,
l'enfer du « vice », les déchirements intimes et les secrets douloureux ne sont pas les seuls fils dont son existence est tissée. Et, même,
on peut avancer que le développement si riche de *la Recherche* ne
pouvait être poursuivi que sur un fonds solide; qu'à Proust, explora-
teur acharné, à ce voyageur des confins, à ce contemplateur ressus-
citant et inventant un monde, il fallait en contrepartie une santé
dans l'esprit, sinon dans le corps.

Il n'est pas douteux que l'esprit d'observation de Proust, si l'on peut
transférer ce mot d'un vocabulaire où il a un sens précis dans un
ordre où il suggère plus qu'il ne définit, et son *diagnostic* témoignent
de cette santé et, avec son génie proprement artistique, composent
l'armature secrète qui le fera résister à la pression de ses drames
intérieurs. Il est difficile de ne pas rapporter à l'influence paternelle (en englobant dans cette influence celle du milieu médical
en général), l'attitude scientifique, ou plus précisément, clinique,
adoptée par Proust en tant de pages de *la Recherche*. Difficile aussi
de ne pas noter une ressemblance entre la vie du père tout entière

vouée au travail et celle du fils, dont l'œuvre, telle qu'aujourd'hui
nous la connaissons, évoque un sacrifice comparable par sa cons-
tance et sa durée.

Père sans doute lointain, ou grondeur, ou critique : père, et *différent*.
Mais ennemi, ou haï, ou méconnu, ou n'ayant lui-même rien compris à son fils, non. On ne peut citer comme des « preuves » les
lettres de Marcel à sa mère où il
est question de son père : la tendresse pouvait y mettre quelque
complaisance. Mais, entre tant
d'autres notations concordantes,
celles que contient une lettre
écrite à Laure Hayman, après la
mort du Dr Proust, sont à retenir:
« Ma mauvaise santé que je ne
cesse de bénir en cela, avait eu
ce résultat depuis des années de
me faire vivre beaucoup plus
avec lui, puisque je ne sortais plus
jamais. Dans cette vie de tous les
instants, j'avais dû atténuer —
et il y a bien des moments où
j'ai l'illusion rétrospective de me
dire : supprimer — des traits de

Le professeur Adrien Proust

caractère ou d'esprit qui pouvaient ne pas lui plaire. De sorte que
je crois qu'il était assez satisfait de moi et c'était une intimité qui
ne s'est pas interrompue un seul jour... »

Cette image ne propose rien d'idyllique, mais nous fait voir une
grande affection et un accord à base de raison, une compréhension
vraie, entre hommes intelligents que leurs tendances divergentes
ne font pas se dresser l'un contre l'autre; qui sont, rappelons-le,
un médecin pour qui le pathologique n'est pas exceptionnel et un
écrivain de génie, qui sait se servir de son génie pour éviter que ne
se révèlent trop crûment les inconciliables que comporte toute vie.
Dans *la Recherche*, le père du narrateur, « directeur au Ministère »,
c'est-à-dire aux Affaires étrangères, est un reflet partiel du Dr Adrien

Proust — partiel puisque lui a été retiré ce qui constituait le noyau de sa personnalité : son métier. Mais c'est clairement à ce métier que correspond le naïf hommage que rend au père du narrateur la « courrière » Marie Gineste, sœur de Céleste Albaret : « Ah monsieur, ce sont des vies dont on ne garde rien pour soi, pas une minute, pas un plaisir; tout, entièrement tout, est un sacrifice

Robert Proust

pour les autres, ce sont des vies *données...* (1) » Et nous n'avons pas besoin d'un autre témoignage pour comprendre qu'à la « pudeur de la sensibilité » du père correspond, ici et ailleurs, celle du fils. Le rôle profond des vivants dans l'existence d'un créateur ne se mesure pas au nombre de lignes qu'ils occupent dans son œuvre ni à la valeur des défroques dont ils peuvent se trouver recouverts si leur ombre glisse de la vie dans un livre. Le frère cadet de Marcel, le Dr Robert Proust (1873-1935) n'a pas de double dans *la Recherche*, et, pour cela sans doute, ne reçoit dans la plupart des ouvrages consacrés à Proust qu'un éclairage très rapide et conventionnel. On oppose sa solidité à la faiblesse de Marcel et tout est dit. Pour reconstituer une des dimensions de l'univers familial de Proust, une des données du groupe au sein duquel Marcel a vécu de longues années, même si par certains aspects de sa nature et à de certaines heures il s'en différenciait, il n'est pas inutile de citer cette analyse du Dr Louis Bazy, un des collègues du Dr Robert Proust à l'Académie de chirurgie : « Des êtres comme lui sont doués, au point de vue sentimental, d'une sorte de mimétisme qui les porte à se dissimuler aux yeux de ceux dont ils croient

●*(1) L'italique est ici de Proust. T. II, p. 848.*

avoir à redouter ou l'indifférence ou l'incompréhension. Ils se
retranchent derrière une urbanité jamais en défaut, une politesse
raffinée, qui sont la marque d'un contrôle permanent de soi. »
Cette esquisse s'appliquerait sans doute tout aussi bien au père
et à Marcel, avec pour ce dernier une nuance pathétique — car
ce qu'il avait à cacher risquait de le séparer des siens; et il est
peu vraisemblable qu'il ait caché
davantage son secret à son père
qu'à son frère... On souhaite que
Mme Proust ait été aveugle, et
on le croit, sur la base de ce
qui est connu — en s'efforçant
d'oublier qu'à l'aveuglement des
mères, traditionnellement invo-
qué, il serait souvent nécessaire
de substituer leur perspicacité
muette... Quoi qu'il en soit du
degré de connaissance qu'avait
Mme Proust de l'orientation
sexuelle de Marcel, il est impossible de ne pas pressentir (à travers ses lettres, non par quelque
intuition particulière) qu'elle a
très profondément compris sa

Marcel Proust à Cabourg

nature d'écrivain. On la voit soutenir Marcel de son attention
quotidienne, avec une minutie, une allégresse inventive, un dévouement qui donnent de la « complicité » de la mère et du fils une
autre idée — plus vraie car elle est plus complète — que celle qui
hante les psychanalystes d'occasion. On la voit aussi le nourrir non
seulement de livres, mais aussi par des récits, des « reportages »,
des scènes, des remarques, d'innombrables traits et portraits, comiques ou graves.

On a dit, et c'est vrai, qu'il y avait en elle quelque chose de Mme de
Sévigné — qu'elle aimait comme elle aimait Molière, Sand, La-
biche et vingt autres. Si nous avons groupé autour de Marcel, moins
loin de lui qu'on ne les place parfois, son père et son frère, il faut

aussi faire figurer dans sa généalogie intellectuelle et sensible (et
sur un plan où l'âme féminine apparaît plutôt complémentaire
qu'ennemie de l'inspiration masculine) Mme Proust et sa mère, (qui
semblent parfois le couple Sévigné-Grignan. Ces deux figures et
ces deux présences féminines, qui apportent au jeune Marcel des
trésors de tendresse familière, d'intelligence vivante, qui l'éveillent
à une vie du cœur toujours en alerte, se sont mêlées dans son œuvre
dans une double coulée romanesque, où la re-création mythique
joue avec des éléments pris à l'une et à l'autre pour animer deux
personnages qui se relaient et se complètent tout au long du récit.
Que Proust ait eu besoin du très savant et célèbre dédoublement
(qui attribue à la grand-mère du narrateur, Mme Amédée, des traits
de la mère) pour des raisons qui tiennent à la *durée* même de la vie
de son double le narrateur, c'est certain. Mais on sait que, si la
mort de Mme Weil a marqué une rupture très violemment ressentie
dans la vie de Proust [et peut-être la première irruption du *véritable* drame (ou secret) de l'écrivain — celui de la mort des autres
et de la mort tout court] si donc cette mort réelle de sa grand-mère
a profondément atteint l'homme-Proust, c'est de la mort de sa
mère qu'il nourrit, dans le roman, la mort de l'aïeule du narrateur.
« Maman », dans *la Recherche*, ne meurt pas, elle n'est pas un destin mais une présence. Et l'on sait que c'est à cette présence, à l'appel
qu'elle ne cesse de lancer que le roman de Proust doit son germe,
et son élan. La transmutation de Mme Proust c'est son passage dans
les « corps » romanesques de Mme Amédée et de maman; c'est
aussi son souvenir inscrit au plus secret du livre — et comme dans
chacun de ses plis. Elle en est l'âme cachée.
Il faut rappeler que cette présence de Mme Proust à l'œuvre de
son fils évolue d'une façon qui est caractéristique de l'art de l'écrivain entre *Contre Sainte-Beuve* et *la Recherche*. Mais *Contre Sainte-
Beuve* n'est pas à proprement parler un livre que Proust aurait
abandonné sous la forme que nous connaissons; c'est, écrit Bernard
de Fallois dans la préface rédigée pour présenter ce texte : « une
coupe géologique de son esprit... c'est la terrasse où l'écrivain s'arrête
un moment pour scruter de sa vue perçante le vaste et touffu
XIXe siècle... au-delà, s'étend la sombre forêt de son œuvre à lui

où il va plonger », c'est en un mot le groupement des ébauches qui
correspondent à l'avant-dernier état du noyau de *la Recherche*.
Contre Sainte-Beuve, « un moment de la vie de Proust » poursuit
Bernard de Fallois, est une matière qui n'a pas encore atteint le
point de fusion qui marquera son passage dans l'univers de l'art.
Dans l'esquisse des années 1908-1909 où, après *Jean Santeuil* et ses
traductions de Ruskin (après *Sésame et les lys* surtout qui contient
l'essence de *Combray*), Marcel Proust commence sa conversion esthétique déterminante, essentielle, en rompant avec les conventions
romanesques, les « idolâtries » de l'objet et de la construction
dramatique, ou si l'on préfère, euclidienne, pour écrire selon les
lois de sa propre expression (polyphonie et construction *en rosace*),
dans cette œuvre donc, Proust a placé sa mère « au centre du livre,
que cette figure votive illumine d'un bout à l'autre » comme le
dit Bernard de Fallois, dans sa préface à *Contre Sainte-Beuve*. Et
ce que Mme Proust incarne, c'est un esprit opposé à celui du
critique des *Lundis;* celui-ci demande la vérité à l'*enquête*, il croit
atteindre l'écrivain qu'il étudie en interrogeant les témoins de sa
vie, en partant en somme de l'extérieur, des formes sociales d'une
vie, des apparences. La réalité d'un écrivain (d'un être) se saisit,
selon Proust, non par quelque révélation extérieure mais par la
recherche de « l'irrationnel » unique qui est en lui, de ce que
son imagination comporte d'irréductible et qui révèle son centre.
Mais la mère de Proust, dont l'attention silencieuse, le sens profond
de la *vie rêvée* (titre que l'écrivain retint un moment pour son roman)
rayonne dans *Contre Sainte-Beuve*, se développe dans *la Recherche*
non seulement à travers « Maman » et Mme Amédée, la grand-
mère du narrateur, mais encore à travers le narrateur lui-même
parlant de Stendhal avec Albertine. Ainsi ce que « supporte »
Mme Proust, c'est à la fois un personnage : la gardienne des enchan-
tements de Combray, celle dont le geste tendre révèle à Marcel
à la fois sa nature et la vocation qui secrètement en dépend, et une
idée, ou des idées; et ainsi que dans la vie elle s'était mise à ressembler à sa propre mère après la mort de celle-ci, comme pour assurer
sa survie, elle restera, dans le roman, vivante aussi dans le personnage de la grand-mère et dans les pensées d'autres créatures.

Combray ce sont les deux femmes qui ont accompagné l'enfance et la longue jeunesse de Proust (c'est aussi le musicien Vinteuil, mais dans un arrière-plan); elles incarneront aux yeux du narrateur une sorte particulière de vertu, exigeante mais tempérée par la réserve, l'humilité, l'acceptation et la souffrance; la condamnation, que le narrateur ressentira, c'est la mort de la grand-mère qui la manifeste : condamnation silencieuse à laquelle répondra le rachat par l'œuvre d'art, l'effort de l'écrivain pour donner aux ombres de sa grand-mère et de sa mère la satisfaction qu'il n'a pas su leur donner de leur vivant. Ainsi l'homme en sursis travaille-t-il à payer avec la monnaie de l'art, en inscrivant dans la durée — dans ce qu'il peut arracher à l'éternité — la douleur des morts qu'il a aimés.

C'est dans la perspective ouverte par cette substitution de la poésie à la foi, de l'art à l'espérance, du travail à la charité, que l'œuvre de Proust peut être vue comme une tentative de racheter l'oubli, et ces intermittences du cœur qui sont comme une seconde mort, par une conquête de la continuité, un retour à la continuité vivante; avec la musique du passé qu'il retrouve et inscrit dans *la Recherche*, Proust tente d'arracher les siens à la mort.

Mais il ne peut construire définitivement son Arche que lorsque les parents ont disparu : l'œuvre qu'il porte en lui n'est pas séparable d'une acceptation totale de sa propre vérité, de sa singularité. Tant que ses parents furent vivants, Proust s'efforça de mentir — avec ce génie qu'il montre dans *la Recherche* pour les substitutions, les transformations — qui toutes ne visent pas seulement à masquer un secret, dont beaucoup sont la prolifération d'un créateur d'êtres qui, à la limite, est dans chacun. Mais leur mort, qui détruit le foyer, le *terrier* où il vivait, lui fait faire un pas décisif vers une liberté, une acceptation de soi qui sont à la fois abandon et courage — puis vers une « entrée en littérature » : les deux moments sont étroitement liés, comme sont liés chez Proust la dureté, l'impersonnalité, le cynisme parfois, du regard, de l'observation — le mensonge parfois impitoyable de l'art, et une sourde, profonde pitié.

A quelle profondeur s'enracine dans *la Recherche* le lien familial, on peut l'entrevoir maintenant : au niveau d'une conscience biologique, que Proust possède au plus haut degré; conscience que la hantise de la mort rend aiguë, et définit par une menace qui commande à la fois l'angoisse de l'homme et l'esthétique de l'écrivain. Son art, ainsi que tant d'autres, est une lutte contre la mort; mais une lutte aux formes multiples, une suite de combats différemment ordonnés, comme pour prévoir toutes les atteintes, toutes les menaces du Néant. La musique, l'attachement aux choses les plus humbles, la gloire, sont, si l'on peut dire, des armes. Mais aussi cette longue, enveloppante méditation qui, à force d'examiner le contenu d'un mot et d'évoquer des expériences, semble à la fois désarmer un adversaire et faire sienne sa volonté; *la Recherche*, qui est le récit d'une découverte ou d'une conquête est en même temps celui d'une agonie — dans ce sens que le roman est l'histoire parallèle d'un double apprentissage de la vie et de la mort.

Proust sent et peint, avec une sorte de grandeur shakespearienne, l'épouvantement des séparations définitives, que préfigurent les trahisons des vivants, leurs mensonges, leurs absences mêmes, toutes les *désaffections*. Une part de son œuvre est un commentaire de la solitude, de l'abandon, du néant des amours et des amitiés; mais dans sa polyphonie, comme un leitmotiv à la fois discret et tenace, et jamais submergé, s'inscrit en contrepoint une fidélité à la mémoire des morts qui est un germe de la mémoire ressuscitée, du Temps retrouvé; une fidélité qui s'accompagne du doute dont témoigne la double réponse qui figure (l'une dans *Swann*, l'autre, à propos de Bergotte, dans *la Prisonnière*) à la question : *Mort à jamais?* : *C'était possible* et *Qui peut le dire?*; et dont témoigne aussi telle lettre adressée à un ami au lendemain d'un deuil, ou tels passages de son œuvre où il essaie, pourrait-on dire, d'ajouter, timidement, une espérance un peu incertaine (ou naïve) après une autre, comme pour ne rien oublier de ce qui est de l'ordre de l'espérance, voire de ce que l'on a cru vrai, un jour, pendant quelques instants...

Ainsi, ce que sa famille représente pour l'artiste, ce sont des vivants dont chacun est unique, inoubliable; la mort de chacun est un peu la sienne; Proust est lié aux siens par le sang, mais aussi par la profonde pitié et par la nostalgie de l'enfance; en tentant de se sauver, de construire son Arche pour qu'elle navigue après

le Déluge de sa mort, il est, avec une poignante anxiété, une tendresse recrue, épuisée, le sauveur des siens. A l'illusion de l'immortalité, on ne peut croire qu'il ait entièrement cédé — la durée éternelle n'est certes pas à ses yeux davantage promise aux œuvres
qu'aux hommes et *la mort même nous guérit du désir de l'immortalité*;
mais il enferme dans l'œuvre, aussi bien dans l'acte même d'écrire
que dans le monument achevé, ce que l'on peut nommer une confiance aveugle et souterraine dans le pouvoir du travail. Cet « évan-
gile » là, lui vient des siens aussi bien que de Ruskin.

Dans une lettre à Georges de Lauris (1), il exprime admirablement
ce qui est « l'esprit des Proust » (des deux « côtés » des Proust) :
« ...Quand vous le pourrez, travaillez. Ruskin a dit quelque part
une chose *sublime*, et qui doit être devant notre esprit chaque jour,
quand il a dit que les deux grands commandements de Dieu (le
deuxième est presque entièrement de lui mais cela ne fait rien)
étaient : *Travaillez, pendant que vous avez encore la lumière* et *Soyez
miséricordieux pendant que vous avez encore la miséricorde...* Après le premier commandement, tiré de Saint-Jean, vient cette phrase :
« ... *Car bientôt vient la nuit où l'on ne peut plus rien faire* » (je cite mal).
Je suis déjà à demi dans cette nuit malgré de passagères apparences
qui ne signifient rien. Mais vous, vous avez la lumière, vous l'aurez
de longues années (2), *travaillez*. Alors, si la vie apporte des déboires,
on s'en console car la vraie vie est ailleurs, non pas dans la vie
même, ni après, mais au-dehors, si un terme qui tire son origine
de l'espace a un sens en un monde qui en est affranchi... »

Il serait absurde de rapporter le génie de Proust à l'hérédité et de
définir son œuvre comme une commémoration privée, un « tombeau » composé avec les noms et le souvenir d'une famille; mais le
chemin qui conduit Proust à « hériter » de mille formes de vie —
contradictoires floraisons de l'espèce, familles où nous figurons
tous de quelque façon — et à chercher sa vérité à l'extrémité d'un
art qui rassemble, aussi, l'héritage d'un siècle, en multiplie les
forces et les prolonge, ce chemin il l'a suivi non en partant d'un lieu

---

● (*1*) *Lettres à un ami, p. 147-148.* ● (*2*) *Georges de Lauris est mort en 1963. Sa
correspondance avec Proust avait commencé en 1903.*

idéal, en voyageur solitaire, mais en partant de Combray, avec les siens. Il a éprouvé les vérités les plus générales à travers des êtres : ils sont comme la couture et la blessure qui le relient au monde ; ils sont les visages où il a lu pour la première fois la tendresse, le rire, la colère, l'ennui, l'angoisse, l'indifférence — et la mort. Si « même les êtres qui furent les plus chers à l'écrivain n'ont fait, en fin de compte, que poser pour lui comme chez les peintres » *(le Temps retrouvé)* cette vérité n'est pas cruelle : elle dit la soumission de l'homme à son métier, de l'artiste aux nécessités de son travail. Les Proust, comme les autres « modèles » de *la Recherche* sont à la fois sacrifiés et magnifiés ; d'autres apparaissent, auprès de l'artiste, les délégués du désir, de la création artistique, de la sottise, du vice, de l'ironie qui blesse ; eux sont, trinité complexe, unie dans un dessin où s'inscrivent des signes que nous ne pouvons tous déchiffrer (signes qui sont comme le lien secret, la complicité des intimes, signes de ce qui est *de chez* les Proust), les délégués sans tache de la double tendresse des hommes : pour ceux dont ils viennent et pour ceux qu'ils ont engendrés. Et que le génie *séparé* de Proust ait pu susciter en lui un génie de la paternité, il faut voir là sans doute la plus prodigieuse (la plus admirable aussi, et dans tous les ordres) des *substitutions* proustiennes.

G. S.

Du côté de Combray
et
des jeunes filles
en fleurs

De grands yeux noirs légèrement cernés, reflétant la douceur et l'intelligence d'un regard lucide et cependant tourné vers l'intérieur; un sourire immobile qui dénonce une sensibilité excessive : au seuil de l'adolescence Marcel Proust évoque quelque jeune page de la Renaissance italienne. Mais déjà sa longue figure mince, aux joues pourtant pleines, porte les marques de l'asthme nerveux dont il avait ressenti, à l'âge de neuf ans en rentrant d'une promenade au bois de Boulogne, la première attaque et dont il souffrira toute sa vie.

Marcel Proust enfant

*Certains quartiers de Paris, ravagés
par les flammes et les bombarde-
ments, ne sont plus que ruines.
Assiégée quatre mois par les armées
prussiennes, la capitale, livrée quelques semaines après sa reddition
aux émeutiers de la Commune, connaît en mai 1871 une véritable bataille de rues entre Fédérés et Ver-
saillais. Une jeune lorraine, d'origine juive, « au visage paisible de
vierge de Flandre israélite, les ban-
deaux ondulés sur le front », Jeanne
Weil, mariée à un interne de l'hô-
pital de la Charité, s'était réfugiée
dans la maison de campagne de
son oncle à Auteuil, alors paisible
village de la banlieue. Le 10 juillet
1871 elle y donnait le jour à un fils,
Marcel Proust.*

Madame Adrien Proust, jeune femme

La rue de Rivoli en mai 1871

Né au lendemain de troubles sanglants...

L'été aux Champs-Elysées

Paris fut un des pôles de la vie de Proust enfant : le jeudi et le dimanche et, parfois le soir, après les cours du lycée Condorcet, c'était aux Champs-Élysées ou au parc Monceau, près du guignol, des manèges de chevaux de bois et des petites boutiques à friandises, de longues séances de jeux; l'occasion aussi de rencontres avec une bande de camarades et de petites filles dont certaines devaient revivre dans le personnage de Gilberte. Préférant la conversation au jeu, le jeune Marcel Proust émerveillait ses amis par les histoires qu'il leur racontait et l'étendue de sa culture littéraire, mais il les étonnait et les inquiétait quelque peu; autant par ses démonstrations passionnées d'affection que par sa surprenante susceptibilité.

connaîtra l'enfance heureuse...

Le professeur Adrien Pro

La place Saint-Augustin

Massif, la barbe grisonnante et les vêtements noirs, le professeur Adrien Proust, homme grave et laborieux, aurait désiré que son fils, aguerri par une éducation plus sévère, s'affirmât capable de surmonter ses angoisses et ses crises nerveuses pour affronter la vie avec un égal succès. Poursuivant une brillante carrière — il deviendra Inspecteur de l'Hygiène publique et titulaire de la chaire d'Hygiène à la Faculté de médecine —, le Docteur Proust s'était installé boulevard Malesherbes, non loin de l'église Saint-Augustin, « cloche violette, parfois rougeâtre, écrira Proust, qui donne à cette vue de Paris le caractère de certaines vues de Rome par Piranesi ».

...et la petite ville beauceronne, berceau de sa famille

Illiers et son église

Petite cité aux confins de la Beauce et du Perche, Illiers, immortalisé sous le nom de Combray, était le berceau de la famille Proust. Dans le bourg dominé par l'église Saint-Jacques « élevant dans le ciel au-dessus de la place son clocher qui avait contemplé Saint-Louis et semble le voir encore », Marcel Proust venait passer ses vacances. Il retrouvait là le souvenir des siens, marchands ou cultivateurs depuis plusieurs siècles, vivant dans l'ombre de la vieille église. Et s'il restera agnostique, Proust sera toujours sensible aux beautés de la liturgie dont maintes images se retrouveront dans son œuvre et ému, en artiste, par toutes les manifestations du culte catholique.

...où paysages et demeures...

Derrière la maison à colombages apparents des Amiot, rue du Saint-Esprit, s'étendait le petit jardin où, par les chaudes après-midi d'été, Marcel Proust venait lire sous un marronnier, assis dans une petite guérite. Mais il préférait la solitude plus complète des journées de lecture au « Pré Catelan », petit parc que son oncle Amiot possédait sur l'autre rive du Loir. Dans ce jardin, bordé d'une haie d'aubépines, où grottes artificielles, escaliers de pierre, parterre de soleils et une charmille formaient le plus romantique des décors, le jeune garçon vécut en la seule compagnie de George Sand, Victor Hugo, Dickens, Balzac et George Eliot, les heures « silencieuses, sonores, odorantes et limpides » qu'il évoquera avec émotion.

Le Pré Catelan

La maison des Amiot

Le corridor

*Cadre idéal pour quelques « scènes de la vie de province », la maison de
Madame Amiot, la tante Léonie de « la Recherche du Temps perdu », fut
pour Marcel Proust jusqu'à l'âge de quinze ans l'abri douillet où chaque été
il recueillait les innombrables sensations et émotions diverses qu'il emmaga-
sinait dans sa prodigieuse mémoire. Les chambres tapissées de papier à fleurs,
les lourds meubles sombres et leurs napperons brodés, le grand couloir et
ses boiseries, les images pieuses et les bibelots garnissant murs et commodes,
la cuisine qui deviendra celle de Françoise : autant de souvenirs d'enfance
que le romancier, en les recréant, a réussi à faire nôtres.*

...les objets et les êtres nourriront son imagination.

La cuisine

Madame Amiot

La chambre de Madame Amiot

il passe ses vacances...

Obligé bientôt de renoncer aux vacances à la campagne, à cause de ses crises d'asthme, Marcel Proust partait vers la fin de l'été, accompagné de sa grand-mère, respirer l'air fortifiant des plages de la Manche : Trouville, Dieppe et plus tard Cabourg. Il y admire de la fenêtre de sa chambre « ces cimes bleues de la mer qui n'ont de nom sur aucune carte géographique ». Il fera également de longs séjours sur les rives du lac de Genève, à Évian dont le tortillard, en particulier, lui a été suggéré par le petit train reliant Genève à Évian et à Thonon. De ces lieux de vacances et de plaisir, où la société élégante du temps se coudoie, il se souviendra en imaginant Balbec. Mais c'est surtout Cabourg, avec son golf, ses élégants et ses réceptions, qui en sera le modèle.

Le Grand Hôtel d'Évian

Le kiosque de Cabourg à l'heure de la musique

Groupe de jeunes filles sur la plage de Cabourg

« *Quelle différence avec ces années de mer où grand-mère et moi fondus ensemble allions contre le vent en causant...* » Tendre complicité, en effet, entre Madame Weil et son petit-fils. Toutefois, s'évadant peu à peu de l'emprise familiale, Marcel Proust observera fasciné le va-et-vient des jeunes filles sur la plage. Quand il les aura rencontrées, et du jour où ayant su « *que leurs joues pouvaient être embrassées* » il sera devenu « *curieux de leur âme* », il ne concevra plus les vacances sans elles. A Paris, lorsqu'il reverra sa préférée, Albertine, il aura l'illusion en la tenant dans ses bras de ressaisir Balbec, le Cabourg de ses vacances enchantées.

...il connaîtra les premiers émois du cœur...

Fragment de lettre de Marcel Proust envoyée de Cabourg le 9 septembre 1891

Élève irrégulier à cause de son asthme, Marcel Proust fit cependant de bonnes études au lycée Condorcet où il était entré en 1882. Il se révéla particulièrement brillant en français et en sciences naturelles. Sous les maigres acacias de la cour du Havre, il fit la connaissance de Daniel Halévy, de Robert Dreyfus et de Fernand Gregh, discutant avec eux de littérature jusqu'au roulement de tambour qui « conseillait l'entrée en classe ». Dès l'enfance une profonde affection le lia à son frère cadet Robert, malgré l'opposition de leurs tempéraments. Marcel, en effet, se sentait très proche de sa mère, alors que Robert rappelait, par le caractère et les aspirations, le professeur Proust.

Marcel et Robert Proust enfants

La sortie du lycée Condorcet

premières joies de l'amitié.

Illiers

CHAPITRE III

Un roman
sans
romanesque

PAR JEAN-FRANÇOIS REVEL

L a *Recherche du Temps perdu* est le premier roman sans intrigue, le premier qui soit dégagé de toute parenté avec la construction dramatique — exposition, nœud, dénouement — sous-jacente à toutes les grandes œuvres romanesques du xixe siècle. En cela, le récit proustien ressemble bien plutôt aux œuvres précédant le xixe, aux mémoires et romans écrits sous forme de mémoires du xviiie et du xviie siècles. Seule la partie de *Du côté de chez Swann* intitulée *Un amour de Swann* est constituée par une narration, pourvue d'un commencement, d'un milieu et d'une fin, construite autour d'une tension dramatique, résultant de l'ouverture de diverses possibilités contradictoires, prenant tel ou tel cours à la suite de tel ou tel événement décisif. C'est sans doute en raison de cette allure classique de récit clos sur lui-même que ce fragment a été si souvent détaché de l'ensemble : aucun autre en effet

n'offrait, en tant qu'intrigue, de contour assez net qui lui permît de
supporter sans dommage ce traitement.

Pourtant, les éléments d'*Un amour de Swann* se retrouvent partout
ailleurs dans *la Recherche*. C'est d'ailleurs pour cela que Proust
place l'histoire de la passion de Swann et d'Odette là où il la place.
Selon une maxime qui lui est chère, tout ce qui nous arrive d'important est annoncé, préfiguré, soit par certains aspects de la vie d'un
autre dont nous sommes témoins, soit dans notre propre existence,
tantôt imperceptiblement, tantôt assez clairement mais à puissance
réduite. Nous atteignons aussi bien nos vertus que nos vices, nos
bonheurs que nos souffrances, par paliers, à l'occasion desquels
nous sont prodigués par la vie des avertissements ou des encoura-
gements aussi foisonnants qu'inutiles. Les thèmes d'*Un amour de
Swann*, Proust le répète souvent, sont pour le narrateur une sorte
de prophétie de son propre amour pour Albertine, qui sera présent,
et parfois exclusivement présent, pendant plus de la moitié du livre.
Entre les deux s'intercale une première passion du narrateur, sa
passion pour Gilberte, vérification transitoire de la méthode Swann
et inventaire provisionnel du système Albertine. Si donc le fonds
est le même, qu'est-ce qui distingue *Un amour de Swann* du reste
de l'œuvre et permet d'y saisir une intrigue, absente ou totalement
diluée ailleurs ?

L e récit classique, construction dramatique, est fait de rap-
prochements forcés, de la suppression des temps morts. Il
consiste à feindre que des événements, effectivement liés entre eux
en des rapports de cause à effet, succèdent immédiatement les uns
aux autres. En réalité, ils sont souvent séparés par des années, si
bien qu'en les vivant, nous ne les ressentons pas comme noués en
un récit continu. D'autre part, contrairement, là encore, aux nécessités de la narration dramatique, nous ne sommes pas tout entiers
dans ce que nous vivons, ou plutôt nous vivons toujours plusieurs
choses à la fois, dans plusieurs compartiments à la fois. La densité
dramatique, elle, exige que le sujet de la pièce occupe le héros à

chaque instant. Otez ces deux procédés : l'enchaînement précipité des faits, l'isolement d'une passion prédominante épurée de ses parasites, et vous obtenez, ou réobtenez l'étirement dans la durée et l'éparpillement dans le présent, c'est-à-dire la dissolution de toute intrigue, c'est-à-dire le roman proustien.

Pendant longtemps, « romanesque » a signifié non pas seulement, comme dans le vocabulaire critique d'aujourd'hui, « relatif au

Promenade au bois

roman » (dans le sens où l'on parle de « technique romanesque »), mais exceptionnel, extraordinaire, extravagant. Le roman était d'abord roman d'aventures. N'était jugée digne d'un récit qu'une existence hors du commun, marquée par des exploits ou des épreuves étonnants. A cet égard le roman reflétait non plus le drame mais l'épopée. *Le Rouge et le Noir, les Illusions perdues* ne sont pas que des romans d'aventures, mais ce sont des romans d'aventures. C'est aussi par le caractère exceptionnel, mémorable de leurs passsion que les héros de *la Princesse de Clèves*, d'*Adolphe* ont été trouvés par leurs auteurs propres à la rédaction, et non pas seulement à cause de la « vérité psychologique », que nous y découvrons, en modernes

épris de trivialité, d'uniformité. Cette « vérité psychologique » s'y
trouve, à coup sûr, sans être le mobile principal ou du moins avoué
du créateur. Bien que baignant dans le quotidien et banals par
eux-mêmes, les personnages de *Madame Bovary* et de *L'Éducation
Sentimentale* n'en sont pas moins des gens auxquels il finit par arriver des choses comme il n'en arrive pas à tout le monde. Les romanciers naturalistes eux-mêmes, en dépit de leur esthétique du constat, retrouvent à leur manière l'intrigue bien agencée et le sens de
l'extraordinaire. Coupeau, Nana, Bel Ami, ont beau être présentés comme des échantillons pris dans la foule, les étapes de leurs
destinées s'enchaînent dramatiquement et les événements qui les
constituent sont grossis, échappent à la moyenne, et de nouveau
nous émeuvent parce que « spectaculaires ».
Chez Proust, c'est le contraire qui se passe : même ce qui est extraordinaire — personnage extravagant, mort par accident, coïnci-
dences invraisemblables, guerre — n'apparaît pas comme tel, n'est
pas ressenti comme tel sur le moment. Le narrateur doit se secouer,
prendre du recul, pour parvenir à juger qu'un fait, une conversation, une rencontre ont été plus ou moins importants, remarquables
ou curieux. Dans la préface d'*A Rebours* Huysmans expose qu'il a
voulu renoncer à l'intrigue romanesque; mais son héros vit dans
l'exception, l'expérience de des Esseintes est une « aventure ». Il
n'y a plus chez Proust ni intrigue ni aventures, et pour la première
fois un récit ne fait appel ni à notre curiosité de « connaître la suite »
ni à notre stupeur devant l'événement prodigieux, et ne joue ni
sur l'impatience ni sur l'impressionnabilité du lecteur.

Qu'est-ce donc que *la Recherche?* D'abord, une autobiographie. Précisons : il s'agit bien d'un roman. Proust a toujours
protesté que malgré l'omniprésence de ses souvenirs personnels
dans son livre, tout y était recréé. Rien n'est littéral, si tout est
vrai. Cela dit, c'est en tant que roman que *la Recherche* se présente
comme une autobiographie, et, moins semblable sur ce point encore
à la littérature du xixᵉ siècle qu'à celle des deux siècles précédents,

elle emploie l'artifice des faux mémoires. L'auteur raconte ou est censé raconter ce qu'il a vu, vécu, éprouvé, ou ce que d'autres lui ont raconté : *Un amour de Swann* est un roman dans le roman, une de ces nouvelles intercalaires, récits à l'intérieur du récit, chères aux Espagnols notamment. L'histoire est alors racontée à l'auteur par l'un de ses propres personnages. (Ici, Swann ne parle pas au style direct, mais l'auteur déclare s'appuyer sur ses confidences pour ressusciter cette période de sa vie). Bien mieux : de même que dans le *Quichotte* il y a quelque part un personnage... qui lit le *Quichotte*, de même, à la fin de son roman, dans *le Temps retrouvé*, Proust fait état de réactions de ses amis — c'est-à-dire de ses personnages — à ce même

roman, dont le début vient de paraître. Car cette autobiographie de l'auteur est une autobiographie d'auteur, qui justement raconte entre autres choses comment il a fini par écrire le livre qu'on est en train de lire. Le « Temps perdu » est d'abord le Temps simplement passé, les événements que l'on n'a pas vraiment sentis en les vivant et que la mémoire reconstitue ou plutôt constitue dans leur réalité profonde et intégrale, mais c'est aussi le temps perdu à ne rien faire, à ne pas écrire, à porter en soi une vocation d'écrivain sans parvenir à la réaliser ni à l'oublier.

Elstir et le narrateur

Les grands modèles sont perpétuellement sous les yeux du narrateur comme une incitation au remords : Saint-Simon, Mme de Sévigné, Balzac sont aussi présents dans *la Recherche* que la duchesse de Guermantes et Charlus. Les trois créateurs imaginés de toutes pièces par Proust dans son roman : Bergotte, l'écrivain — Vinteuil, le compositeur, — Elstir, le peintre, — sont bien là en tant que créateurs, en tant qu'ils illustrent les paradoxes de la création dans son commerce avec l'individualité extérieure du créateur et avec le monde environnant (1). Le premier personnage de *la Recherche du Temps perdu* est l'auteur, le second la littérature (ou l'art) en général, — et le livre de l'auteur en particulier.

Les mémoires — réels ou fictifs — sont un genre littéraire qui comporte un certain type de narration, assez différent de la narration du roman classique. (Pour simplifier, j'entends ici par roman classique celui qui va de Balzac à Proust, de Fielding à Joyce exclu, de Tourguéniev à Tolstoï inclus.) Mis à part toujours *Un amour de Swann*, où Proust raconte l'histoire d'un personnage en disant « il fit ceci, il éprouva cela », adopte donc le point de vue de ce personnage et cependant lui reste étranger, entre en lui tout en le décrivant de l'extérieur, et en cela pratique la narration classique la plus courante, toute *la Recherche* est écrite d'un point de vue de témoin. Or un témoin littéraire a le devoir de nous rendre vivants les événements auxquels il a assisté, les hommes et les femmes qu'il a connus. Mais, ne les ayant pas inventés, il n'est pas responsable de leur intérêt intrinsèque. Que le cours des événements soit rapide ou lent, ou qu'il ne se passe rien, que les êtres humains soient mêlés à de grandes actions ou noyés dans des actes insignifiants, le mémorialiste n'y peut rien. On lui demande par contre la vivacité dans la peinture et l'intelligence dans le commentaire. Le commentaire, Proust n'éprouve jamais aucune fausse honte à s'y laisser aller. Comme les historiens de l'antiquité, il accorde une large place, non seulement aux faits, mais aux enseignements que l'on peut tirer des faits. Jamais il n'hésite à interrompre son récit ou sa description pour développer ses réflexions sur la difficulté de connaître complètement le caractère de quelqu'un, sur la puissance de l'habitude, les mobiles profonds des convictions et des jugements de valeur, les caprices de la mémoire, éventuellement pour donner un conseil médical et indiquer un régime à suivre. Le terme de « loi » vient fréquemment sous sa plume. Il lui arrive de se féliciter d'avoir

● *(1) A travers ces trois personnages; la littérature, la peinture et la musique, telles qu'elles apparaissent dans l'œuvre de Proust, sont étudiées respectivement par José Cabanis au chapitre VI, page 185, Jean Grenier au chapitre VII, page 199 et François Régis Bastide au chapitre VIII, page 215 (n. d. l. r.).*

« vérifié une fois de plus cette loi du cœur humain que..., etc. »
Tout mémorialiste est moraliste, ce que peut difficilement être le
romancier, auteur et non témoin des faits qu'il raconte. La psycho-
logie concrète, la sagesse pratique, la philosophie de la vie quotidienne qui se trouvent contenues dans *la Recherche* naissent au contact
d'événements venus à la rencontre de l'auteur dans un ordre qu'en
théorie il n'a pas choisi. Elles émanent, et finissent pas former un
corpus disséminé à travers le livre, de ces généralisations tranquilli-
satrices que nous opposons sans arrêt à la contingence, et où se
mêlent nos réactions de défense contre la bousculade de l'imprévi-
sible et peut-être cette part de vérité pragmatique apprise malgré

nous et que l'on nomme notre
expérience. De la sienne, Proust
ne se prive pas de nous faire profiter, avec parfois une malice de
manipulateur soucieux de pousser au maximum l'effet de surprise, lorsque par exemple il nous
dévoile chez un de ses personnages, comme il le fait pour
presque tous, un trait foncièrement différent de tous ceux auxquels nous étions habitués, allant
parfois jusqu'à une telle inversion
du caractère qu'elle en est à peine
vraisemblable. Un romancier
pur ne pourrait se permettre de
telles libertés, il serait tenu de
donner à son personnage imagi-

« Albertine et Marcel »

naire, parce que précisément il est imaginaire, une secrète cohésion,
fût-ce dans la contradiction, comme c'est le cas chez Dostoïevsky.
Mais en adoptant l'esthétique du mémorialiste, Proust n'a pas à
justifier que la vie le mette parfois brutalement en présence de ces
coups de projecteurs inattendus; il ne dépend pas du témoin d'avoir
involontairement surpris une conversation dans un escalier, ou vu un
homme à femmes sortir d'un hôtel louche pour invertis. L'obliga-

tion ne lui incombe pas de fournir le joint entre ce nouvel aspect
et les autres. La versatilité des situations, des rapports entre les
êtres, dans tout leur arbitraire anecdotique, n'est pas moins grande
que celle de leurs caractères, de leurs goûts, de leurs idées. On
retrouve mariés des gens dont on n'aurait pas pu imaginer vingt
ans auparavant qu'ils puissent même se saluer un jour. Les con-
jonctures et les êtres se dérèglent par à-coups, tantôt en eux-mêmes
sous l'effet de cassures internes successives, tantôt pour nous, à nos
yeux, parce que des renseignements surgis par hasard nous
apprennent que choses et gens ont toujours été différents de ce
que nous les avions pensés. Renseignements, du reste, invariable-
ment trop tardifs pour être utiles, car la vérité, si vérité il y a, nous
est surtout connue lorsqu'elle nous devient indifférente. C'est
d'ailleurs une des « lois » chères à Proust, que les choses viennent à
nous d'elles-mêmes dès que nous cessons de tenir à elles.

L e fil autobiographique et cette méditation sur l'humanité
s'enroulent et se déroulent autour de personnages et de lieux
dont la fonction est d'être simplement « présents ». Aucune « nécessité de l'action » n'amène M. de Norpois dans le champ de vision
du narrateur. Il vient banalement dîner chez les parents de celui-ci,
est longuement portraituré parce qu'il est là, réapparaît souvent
par la suite, mais les conséquences qu'a pour le narrateur son existence n'ont rien que de très ordinaire. Romanesquement, Norpois
pourrait être supprimé, ou remplacé par quelqu'un d'autre. Sa
présence exprime donc une autre nécessité que celle de la conduite
d'un récit. Comme dans une chronique, les personnages proustiens
sont importants parce qu'on les voit souvent, au lieu d'apparaître
souvent parce qu'ils sont importants. Les personnages épisodiques,
tel philosophe norvégien ou tel prince allemand, ont autant de
relief, durant leur apparition, que les personnages principaux, mais
leur apparition est plus brève. Il faudrait parler de personnages
« abondants », d'ailleurs, plutôt que de personnages « principaux » :
Swann, le duc et la duchesse de Guermantes, les Verdurin, Saint-

Loup, Charlus, Bloch, s'enrichissent sous nos yeux par accumula-
tion, chaque rencontre entre le narrateur et eux déposant une
nouvelle couche géologique de leur substance. Les personnages qui
ne comptent pas, comme les précédents, parmi les tout premiers,
sont tout juste un peu moins « fréquents », — Mme de Villeparisis,
Norpois, Gilberte, Odette, Morel, Cottard; — puis, entre eux

et la foule des figurants s'éta-
gent de nombreux seconds rôles,
comme Mme de Cambremer, la
princesse de Parme, Jupien ou
Brichot, aussi brillants dans leurs
rôles respectifs que le sont dans
les leurs les tout premiers rôles,
mais pendant moins de temps. Un
personnage secondaire ne se
reconnaît pas chez Proust à ce
qu'il est plus flou, mais à ce qu'il
est moins prolixe et moins enva-
hissant que les vedettes. Le
serait-il autant, il nous donnerait
un plaisir aussi vif. La matière
dont il est fait n'est pas moins
riche que la leur. L'importance
relative des êtres ne provient,

La comtesse Greffulhe

selon Proust, que du nombre de rencontres qui ont eu lieu entre
eux et nous, et ce nombre est accidentel. Seul l'amour établit un
déterminisme, nous entraîne vers un être plus systématiquement
que le nombre d'invitations reçues pour les mêmes matinées
ou les mêmes soirées, mais l'amour lui-même est accidentel (1).
Contingent par la naissance, ingouvernable durant son existence,
incompréhensible une fois mort, il se borne à rendre cancéreux
un personnage secondaire, voire un être à vocation de figurant,
— Odette, Albertine — qui se taille rapidement alors une poche
énorme à l'intérieur du livre, entassant à son profit des milliers

● *(1) Emmanuel Berl a analysé au chapitre IV, l'amour tel que le conçoit Marcel
Proust (n. d. l. r.).*

de pages, chiffre disproportionné à ses talents intrinsèques.
Les personnages de *la Recherche* ne sont pas rassemblés dans une
même histoire, par une ambition, une rivalité, une guerre, ou toute
autre cause unificatrice; s'ils se connaissent, c'est un peu comme
les habitants d'un même quartier, du reste un quartier qui se trans-
porterait au complet à Balbec pendant la période des grandes
vacances. Il est intéressant de noter à quel point les rapports de

Carnet de notes de M. Proust

voisinage pèsent sur les destinées,
dans *la Recherche*, fournissent le
prototype et la source des rapports humains les plus profonds,
et se développent jusqu'à dominer l'existence du narrateur.
Swann est d'abord un voisin de
campagne; lorsque les parents du
narrateur louent un nouvel
appartement à Paris, c'est comme
par hasard dans une aile de
l'hôtel de Guermantes, dont
Mme de Villeparisis occupe une
autre section. Saint-Loup, le
baron de Charlus, Albertine
commencent par être des rencontres de bains de mer. Le simple
fait d'avoir loué une chambre au

Grand Hôtel de Balbec en même temps que le narrateur est un
titre suffisant à l'immortalité littéraire. Proust abandonne donc
complètement le récit, l'enchaînement romanesque, pour aborder
directement les êtres, la nature, l'art, ses propres sentiments, sa
propre création. Et le miracle est qu'il parvienne à faire naître,
grandir et s'intensifier toujours au cours de trois mille pages la
passion attentive du lecteur, alors qu'il s'oblige à renouveler à
chaque seconde les raisons de cette attention, alors que, privé du
recours d'une intrigue, il repart pour ainsi dire de zéro à chaque
épisode, à chaque phrase.
Jamais il ne nous demande de nous attacher à un personnage, pour

nous inciter à prendre connaissance de sa destinée ultérieure en jouant sur notre sympathie, préalablement nourrie, pour lui. Nous ne pleurons pas à la mort de la grand-mère du narrateur, à la mort d'Albertine, à la mort de Swann, de Saint-Loup. Notre familiarité avec eux est d'un ordre trop désintéressé, notre connaissance d'eux est trop complexe, ce qu'ils nous ont donné, appris est trop subtil, trop riche pour ne pas feutrer, arrêter le choc émotionnel. Le recul que nous avons pris par rapport aux personnages tient au luxe même de détails avec lequel ils ont été constitués sous nos yeux. Si Valéry a pu dire que l'œuvre d'art est ce qui ne peut pas se résumer, combien éminemment cela est vrai de *la Recherche*, dont on souhaiterait plutôt être capable d'agrandir, de développer chaque passage, chaque réflexion.

Connaître chaque jour mieux les quelques individus que l'on connaît bien, c'est aussi apprendre à les tenir moralement à distance chaque jour davantage, non point par l'effet d'une décision volontaire, mais parce qu'on ne peut adhérer, s'identifier qu'à ce qui est simple. Tout est banal, ou rien ne l'est. Le roman proustien ne va pas de l'ordinaire à l'extraordinaire, mais du sommaire au compliqué, au fourni. Découvrir la multiplicité, la contradiction dans l'humanité banale, c'est en même temps un rappel du fait que tout être humain est pour nous un étranger, quoi qu'il arrive. C'est donc apprendre que la grande loi de notre vie est la solitude. Autrui ne peut être pour nous que source de déception affective et d'arrachement à nous-même, à cet isolement des êtres les uns par rapport aux autres, lentement découvert, source de tristesse, mais aussi, pour le narrateur, condition de l'exploration de soi et de la création littéraire. Autrui n'est, ne doit être qu'un spectacle. Il nous est, comme son nom l'indique, étranger. Font exception les membres de la famille de l'auteur, surtout parmi eux les femmes, qui seules accèdent au rang de personnages principaux, sa grand-mère, sa mère, auxquelles il faut ajouter sa bonne, Françoise, qui peut être considérée comme la troisième femme de la famille. Ces trois femmes dominent l'existence du narrateur en vertu, cette fois, d'une donnée de base, et non d'une rencontre accidentelle. La mère et la grand-mère du narrateur sont d'ailleurs les seuls person-

nages du livre qui soient exempts de mesquinerie ou de cruauté :
elles représentent la bonté, l'intelligence (mais au sein d'une modestie si infinie qu'elles en refusent l'étalage), la discrétion, le désin-
téressement, l'amour a l'état pur déversé sur la personne du narrateur. A elles deux, elles constituent une sorte de noyau primitif de
tendresse, en dehors duquel, une fois qu'il s'est désagrégé de par la
mort, de par l'avancée en âge du narrateur, n'existe que l'immensité
d'un monde glacial, sans amour ni amitié vrais, sans un seul sentiment exempt d'impuretés et surtout sans un seul sentiment définitif. La maturité, en somme, consiste à vérifier cela. Quant à
Françoise, tout inséparable qu'elle soit de l'auteur et quoiqu'elle
participe de la nécessité familiale et non des hasards du monde
extérieur, elle ne mérite pas tout à fait la canonisation, car elle
possède l'un des traits de caractère des gens du dehors : la méchanceté. Cependant à travers Françoise, jointe à quelques personnages
secondaires de *la Recherche*, c'est le peuple et la mentalité populaire,
le parler, la morale, les principes de réaction et de jugement des
couches les plus anciennes du peuple français que Proust regarde
et écoute. Il vaut la peine d'être constaté qu'il va beaucoup plus
loin sur ce sujet, en quelques pages, que bien des romanciers popu-
listes. Françoise joue sans le savoir le rôle d'« informateur », comme
en utilisent les ethnographes pour se faire mettre au courant des
fonctionnements de pensée qui leur sont hermétiques. Quasiment
illettrée, comme l'était encore la majorité de la classe paysanne au
XIXe siècle, incapable de dire l'heure exacte, elle est un magnifique
exemple d'intelligence développée avant ou à côté de la civilisation de l'écriture. Noble et perspicace, elle est un de ces êtres supérieurs parmi les incultes, qui fascinent le narrateur.

Au lieu de se développer selon un récit linéaire, ou en plusieurs
récits parallèles mais enchaînés, *la Recherche du Temps perdu* se répand
ainsi en cercles concentriques autour d'un certain nombre de personnages principaux et de centaines de personnages secondaires.
Les personnages sont d'autant plus importants que les cercles sont
plus nombreux et amènent donc un plus grand nombre d'inter-
férences. Les seuls repères chronologiques sont les événements historiques : les débuts de la Troisième République, l'affaire Dreyfus,

la guerre de 14-18. Le narrateur se retrouve vieilli alors qu'à peine il a commencé de comprendre ce que sont la réalité et la vie. Car l'une des impressions dominantes de ce long roman est une impression de rapidité, elle est qu'en somme, on se croit encore en train d'entrer dans la vie quand cette vie est pour ainsi dire terminée.

J.-F. R.

« *La Dame en rose* »

CHAPITRE IV

L'Amour

PAR EMMANUEL BERL

S i on comptait les pages consacrées par Proust aux différents
thèmes que *la Recherche du Temps perdu* rassemble, on verrait
sans doute que l'Amour y tient la place — et de beaucoup — la
plus grande. Son importance relative est plus faible, non seulement
chez Zola, mais chez Balzac, qui ne s'intéresse pas moins à l'ava-
rice de Grandet, à l'ambition de Rastignac, à la cupidité de Nucin-
gen qu'au sentiment de Vandenesse pour *le Lys dans la vallée!*
Proust, lui, exception faite, bien entendu, pour sa mère —
grand-mère, ne sympathise avec ses personnages que dans la
mesure où ils aiment. Il y a : les amoureux, et les autres, ceux-ci
formant une suite de caricatures. Jean-François Revel a bien raison de les admirer, et de voir en Proust le grand auteur comique
auquel nous devons M. de Norpois, le docteur Cottard, les Verdurin, et tous les grotesques qui peuplent les salons du « grand monde ».

Proust, quand même, ne ressemble pas à Molière, parce que Angé-
lique et Cléante, Marianne et Valère comptent moins pour lui que
Argan ou que Tartufe. Pour Proust, c'est l'inverse. Ses premiers
lecteurs, voyant son premier volume, ont pu penser qu'il était,
avant tout, un nouveau romancier de l'amour, et qu'accomplissant
la fausse prophétie de Porto-Riche sur lui-même, il allait « se faire
un nom dans l'histoire du cœur ». Ce volume, en effet (et Proust
pensait alors se borner à en écrire trois) comprenait trois parties :
la principale était consacrée à *Un amour de Swann* et le plus
gros de la dernière à l'amour de Marcel — le narrateur — pour
Gilberte.

Cela montre d'ailleurs qu'il faut être bien attentif aux mots en
général, et au mot : amour, en particulier.

Quoiqu'il existe, bien sûr, un amour « romantique », « tristanien »,
« cathare », dans le langage courant, il semble en effet que l'amour
soit d'abord quelque chose qui pousse deux personnes de sexes
différents à former un couple, lequel engendre des enfants. Colette
fait dire à Sido : « l'amour ? je pense savoir ce que c'est, j'ai eu deux
maris et quatre enfants ». Il est probable que Colette a souri, en
l'écrivant ; mais aussi que la plupart des gens qui emploient le mot :
amour, l'entendent comme Sido l'entendait.

Mais, de ce point de vue, la place tenue par l'amour chez Proust
devient beaucoup plus petite. Dans *la Recherche*, il n'y a autant dire
pas d'enfants : il y a le narrateur — et Gilberte Swann. Elle-même
aura une fille, dont Proust nous dit « je la trouvais bien belle, pleine
encore d'espérance, riante, formée de toutes les années que j'avais
perdues, elle ressemblait à ma jeunesse ». Mais il ne nous en dit
rien de plus ; elle surgit tout à la fin de son livre, nous ne la connaîtrons pas.

Ni le duc et la duchesse, ni le prince et la princesse de Guermantes
n'ont d'enfants — ni Charlus, certes, ni la princesse de Parme, ni
les Verdurin, ni les Cottard, ni les Bontemps (ils ont seulement
une nièce, Albertine). Ni M. de Norpois, que nous sachions, ni
Madame de Villeparisis. Ni Bergotte, ni Brichot, ni Elstir. Vinteuil,
oui, a une fille. Mais comme nous le connaissons beaucoup mieux
par sa sonate, et après sa mort, que pendant sa vie, nous devrions

dire plutôt que c'est Mademoiselle Vinteuil qui a un père. Les personnages de Proust ne procréent pas. Beaucoup sont malheureux ; la douleur du moins leur est épargnée de perdre leurs enfants. Madame de Marsantes perd son fils, Saint-Loup, à la guerre. Mais elle est, je crois bien, seule dans ce triste cas. Et d'ailleurs, après la mort de Saint-Loup, nous ne la voyons plus. Proust épargne de même, à ses héros, les douleurs du veuvage. Monsieur et Madame Verdurin travaillaient, de bonne intelligence, à leur ascension mondaine, le prince et la princesse de Guermantes également semblaient assez unis, quoique le goût du prince ne fût pas celui des femmes et que la princesse, tombant de Charybde en Scylla, se fût éprise de Charlus. Or le prince perdra sa femme et Madame Verdurin son mari ; mais si nous l'apprenons, c'est en les retrouvant remariés, l'un avec l'autre. Pendant leur veuvage, ils disparaissent de notre horizon ; Madame Verdurin a même eu le temps d'épouser, et de perdre, un second mari, duc de Duras.

Et, comme il omet les enfants, Proust nous montre moins des couples que des ménages, simples raisons sociales, associations toutes mondaines.

Un seul fait exception, le père et la mère du narrateur. Il nous dit qu'ils s'aiment, et Proust, sans doute, le pense. Mais il ne nous le rend guère sensible. Si la mère du narrateur aime quelqu'un — en dehors de son fils — c'est sa propre mère. Nous voyons comme elle la dispute à la mort, et l'inguérissable chagrin que cette mort lui cause.

Pourtant, Madame Proust avait perdu son mari en 1903. Elle lui survécut deux ans à peine ; certainement, elle l'a beaucoup pleuré. Mais Proust ne nous en parle pas. Comme Odette s'éclipse à la mort de Swann — elle reparaît, mais s'appelle alors : Madame de Forcheville — Gilberte s'éclipse, à la mort de Saint-Loup.

Nous savons que Françoise a été mariée, puisqu'elle a une fille et même un gendre ; mais ce renseignement n'ajoute rien au portrait si poussé de Françoise, et à l'image que nous nous faisons d'elle. De même, pour Madame de Villeparisis. Proust nous la fait beaucoup fréquenter ; mais nous ne saurions rien de feu le marquis de Villeparisis, si Charlus, dans un jour d'épanchement, n'apprenait au narrateur que le marquis de Villeparisis n'était pas marquis, ne s'appelait pas Villeparisis et devait à sa jeune femme son titre, avec son nom. Seul Charlus regrette son épouse défunte : mais elle était morte bien avant qu'il n'entrât en scène.

Dans ce monde sans accouchements, sans berceaux, nous ne voyons pas non plus une femme porter des fleurs sur la tombe d'un mari ou d'un amant, ni un homme sur la tombe de sa femme; les enfants y sont rares, et presque toujours uniques. Proust avait un frère, le narrateur n'en a pas, non plus que Gilberte, ni qu'Albertine. Saint-Loup ? fils unique. Morel ? fils unique. Mademoiselle Vinteuil ? fille unique. Andrée ? fille unique. Oriane de Guermantes ? fille unique. On s'étonne même que les Guermantes puissent être à la fois tellement nombreux et si peu prolifiques. Parmi les divers médecins que Proust nous montre, pas un gynécologue, pas un pédiatre. Et c'est heureux, ils mourraient de faim.

L'amour n'est donc pas du tout, pour lui, quelque chose qui forme des couples, ce serait plutôt quelque chose qui empêche d'en former aucun. Il répond plutôt à l'absence qu'à la présence de l'être aimé. Aussi, les plus propres à l'inspirer sont-ils « les êtres de fuite » tels qu'Odette, Albertine ou Morel.

M ais, à la vérité, tous les êtres deviennent des êtres de fuite du moment qu'on les poursuit. Quand Proust fait allusion aux qualités qui rendent une personne à la fois plus désirable et plus insaisissable qu'une autre, il se laisse, je suppose, emporter, dériver par quelque souvenir personnel qui contredit son analyse; car il ne cesse de répéter qu'en amour il n'y a aucune règle. N'importe qui peut aimer n'importe qui. S'étonner que tel homme soit tombé amoureux de telle femme, dire « je ne comprends pas ce qu'il trouve en elle » est aussi bête que si on se scandalisait qu'un malade succombe au bacille virgule, lequel est très petit, mais engendre le choléra. Nous aurions tort, en vérité, d'admirer beaucoup le pouvoir de séduction d'Albertine — aussi bien que de trop déplorer ses défauts. Marcel lui-même s'est demandé quel eût été

son destin si on l'avait mené ailleurs qu'à Balbec, si donc il n'avait
pas rencontré Albertine. Et Proust répond : les souffrances du jeune
Marcel eussent été autres, mais non pas moindres ; le rôle d'Albertine, une autre l'aurait joué ; son amour ne tient pas « à ce que
c'est elle », mais « à ce que c'est lui ». Odette n'est pour rien dans
l'amour que Swann secrète, et qui ronge son cœur comme le
cancer, plus tard rongera son corps. Elle ne lui plaisait même pas.

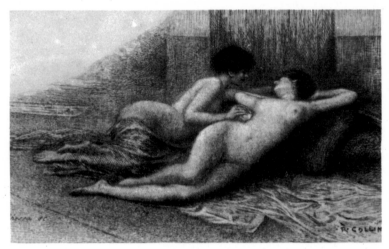

Jeunes filles

Rachel n'est guère moins innocente de l'amour qu'elle inspira à
Saint-Loup. Nous croyons d'abord qu'elle le torture ; en réalité,
il se torture par elle. Elle ne rend pas malheureux ses autres amants.
Elle est très facile et pas très méchante. C'était une petite grue qui
se vendait dans des maisons de passe ; Saint-Loup, bien sûr, ne le
soupçonne pas. Mais elle est aussi, en puissance, et va devenir, en
acte, une très grande actrice. Saint-Loup le soupçonne-t-il davantage ? Quoiqu'il ait gardé avec elle d'assez bons rapports après leur
rupture, la réalisation artistique inespérée de Rachel ne semble lui
causer ni orgueil, ni amertume, ni satisfaction, ni regret. Il ne
l'aime plus ! De même le courage déployé par Gilberte pendant

la guerre de 14 excitera l'admiration de Proust, mais n'entravera
pas non plus son indifférence envers celle qu'il avait tant aimée.
Peu lui importe qu'elle mérite ou non cet amour, ni quand il
l'éprouve, ni quand il s'en est guéri.

Rien de plus contraire à sa pensée que celle de Platon suivant lequel
on aime les qualités et non pas les personnes, non pas Hélène, mais
la Beauté. Pour Proust, si un amant est sensible à certaines qualités
de l'être qu'il aime, ce ne sera pas à celles que cet être possède réellement, mais à celles qu'il lui a lui-même conférées, par un décret
arbitraire de son esprit, décret suggéré d'ailleurs par le hasard.

Oriane de Guermantes a beaucoup de défauts, mais non sans
quelques contreparties brillantes : elle garde aux amis déchus une
fidélité que personne n'imite autour d'elle. Marcel n'en tient pas
compte; ce n'est même pas la duchesse qu'il aime en elle, mais la
sœur de la Geneviève de Brabant que la lanterne magique projetait
sur le mur de sa chambre; s'il cesse de l'aimer, la sottise qu'il découvre en elle ne l'y aide pas : les raffinements de sa toilette —
qu'il ne discernait pas —, ceux de ses « rédactions » — qu'il discernait — n'avaient pas davantage suscité, nourri, exalté cet amour.

Albertine, elle, n'est pas sotte, elle est au contraire très intelligente.
Mais Marcel met beaucoup de temps à s'en apercevoir. Il aime
à travers elle « la petite bande » des jeunes filles en fleurs, puis,
sans doute, la tribade entrevue à Montjouvain, dans la maison de
Mademoiselle Vinteuil (quoiqu'il nous affirme le contraire).

A trois reprises, d'ailleurs, il tombe amoureux; chaque fois, d'une
jeune fille ou d'une femme qu'il voit de loin. Deux autres fois, il
semble presque amoureux : (Mademoiselle de Stermaria, la femme
de chambre de la baronne Putbus). Mais il ne les voit pas du tout.

L es débuts de l'amour sont chez lui insidieux et humbles,
comme ceux de la vie. Swann se plait auprès d'Odette, malgré son visage un peu flétri. C'est qu'elle lui fait des avances auxquelles il serait difficile que résistât un célibataire, grand amateur
de femmes. Il lui « permet » de venir chez lui, parce qu'elle

le lui demande, et se refusera longtemps à lui rendre ses visites. De même pour Marcel : Gilberte soutiendra toujours qu'elle était tombée amoureuse de lui au moment même où il prétend être tombé amoureux d'elle. Albertine l'accable d'abord de ses attentions prévenantes et admiratives, quoiqu'il reste envers elle ironique et réservé. La passion douloureuse de Swann, et celle de Marcel, nous font parfois oublier le peu d'intérêt qu'ils ont eu pour celles qui les causent : eux-mêmes ne l'oublient pas. Indifférents à leurs caractères, ils les étudieront, quand ils y seront contraints, comme un général est contraint d'étudier le dispositif de l'ennemi. Tant qu'ils n'y sont pas obligés, ils ne le font pas. Swann pourrait s'informer si Odette s'appelle bien de Crécy, ou si c'est un nom de guerre; mais il ne s'en informe pas. Albertine est orpheline, Marcel ne se soucie pas de savoir quels étaient ses parents, quels souvenirs elle conserve d'eux. Il prend peu à peu — sans joie — l'habitude de la voir, comme Swann celle de voir Odette, et de passer chez elle l'heure du thé, en sortant des bras de la petite ouvrière, sa maîtresse. L'habitude nous enveloppe doucement de ses rets comme les Lilliputiens ligotent Gulliver endormi.

Et nous resterions éternellement dans cette quiétude rehaussée de désirs vagues, qui tantôt béate, tantôt impatiente, oscille entre une concupiscence diffuse et un ennui diffus, si la jalousie n'intervenait pour nous en tirer.

Mais elle nous en tire toujours. Fatalement vient l'heure fatale où, parce qu'on s'est attardé auprès de la petite ouvrière, on ne trouve plus, chez les Verdurin, Odette qu'on croyait y rencontrer. Elle vous fait dire par le maître d'hôtel qu'elle sera probablement chez Prévost, on court l'y rejoindre, elle n'y est pas; on pâlit alors; votre poitrine vous fait mal. A cette douleur qui l'étonne autant qu'elle le lancine, Swann épouvanté comprend qu'il ne pourra plus vivre sans Odette. Marcel non plus ne pensait pas qu'Albertine lui fût nécessaire; il est désabusé parce qu'involontairement elle lui fait craindre qu'elle n'aille rejoindre Mademoiselle Vinteuil; il s'aperçoit en même temps qu'il peut la perdre — ce à quoi il n'avait pas songé — et qu'il ne pourrait pas le supporter — ce dont il ne se doutait pas du tout. De même, le toxicomane prend la mesure du besoin qu'il a de sa drogue quand il en est soudain frustré ou craint de l'être : Proust reprendra inlassablement cette image. C'est souvent son attitude envers l'amitié qui révèle le mieux l'idée qu'un homme se fait de l'amour, dont les gestes sont générateurs de confusion autant que d'illusion. Jusqu'à ce que la jalousie entre en jeu, l'amitié et l'amour se ressemblent. Les rapports de Marcel avec Saint-Loup, à Doncières, diffèrent peu de ses rapports avec Albertine à Balbec : l'un et l'autre le touchent et l'ennuient, le charment et l'agacent ; les joues roses d'Albertine sont plaisantes à voir, les mouvements gracieux de Saint-Loup aussi. Sans doute, Marcel finit par embrasser Albertine — et non pas Saint-Loup. Mais le plaisir qu'il prend à ce baiser est du même ordre que ceux que peut donner la gastronomie : le contact de ses lèvres, de sa langue, avec une fraîcheur savoureuse. Tant que la transmutation de l'amour par la jalousie n'est pas effectuée, qu'est-il

« Les plaisirs et les jours »

d'autre qu'une amitié où les sens sont davantage engagés ? Elle aussi propose quelques plaisirs : on peut faire ensemble de bons repas, écouter de la bonne musique, se promener dans un beau paysage. Le plaisir du sexe, même s'il est le plus vif de tous, n'est certes pas le seul. Mais Proust pense que l'amitié n'existe pas ; il l'a dit, et répété, il me l'a écrit à moi-même : il le déplore, mais il est persuadé que l'amitié est à la fois impossible et futile. Quand nous parlons d'elle, c'est toujours d'autre chose que nous parlons, elle nous éloigne de nous sans d'ailleurs nous rapprocher de rien. Proust ne sera pas moins déconcerté par Saint-Loup que Swann par Odette ; il restera incompréhensible, pour Marcel et pour nous. On ne se retrouve pas dans le dédale de ses sentiments où l'amour des femmes et l'inclination homosexuelle se balancent, s'opposent, se compensent, et tâchent de se combiner. Même le soir où Rachel le fait souffrir si fort qu'il passe sa colère en boxant un journaliste, et un inconnu, on n'est pas sûr qu'il n'ait pas rendez-vous avec un chasseur de l'Hôtel. Ses opinions avancées font avec ses habitudes mondaines un contrepoint trop difficile. Son mariage avec Gilberte surprend son ami autant que son amour pour Rachel, et que son amour pour Morel — amour qui d'ailleurs ne sonne pas très juste.

Mais si Saint-Loup étonne, inquiète, déçoit son ami, il le chagrine rarement; les problèmes qu'il ne peut résoudre au sujet de Robert, il peut désormais ne pas se les poser. La grande différence entre l'amitié et l'amour — on pourrait dire : la seule — c'est que, à l'effarante impossibilité de connaître quelqu'un et de communiquer avec lui, l'amitié mollement se résigne au lieu que la jalousie empêche l'amour de s'y résigner. Une ou deux fois, Saint-

Dessin de Proust

Loup met Marcel au bord des larmes : « Le doute que me laissaient les paroles d'Aimé, ternissait toute notre amitié de Balbec et de Doncières, et bien que je ne crusse pas à l'amitié, ni en avoir jamais éprouvé véritablement pour Robert, en repensant à ces histoires du lift, et du restaurant où j'avais déjeuné avec Saint-Loup et Rachel, j'étais obligé de faire un effort pour ne pas pleurer. » Mais « ces histoires », il accepte de ne pas les écouter. Swann, hélas! veut absolument savoir si Odette a couché avec Bréauté, avec Forcheville, avec Madame Verdurin, si elle a ou non le goût des femmes. Et Marcel déploiera une énergie encore plus farouche pour connaître la vérité sur Albertine. Même quand elle est morte, il poursuit son enquête. Newton n'est pas plus obsédé par le problème de la gravitation que Marcel par le comportement sexuel d'Albertine. Mais Newton résout son problème; le jaloux, lui, ne le peut pas. C'est que si la jalousie nous altère d'une soif de connaissances inextinguible, elle nous empêche de les acquérir. Comme le jaloux l'est du monde entier, il a le monde entier contre lui. Non seulement la personne qu'il aime, mais toutes les autres conspirent à le tromper, par cruauté ou par pitié, par crainte ou par connivence. La vérité sur Odette, Swann donc ne la trouvera jamais, ni Marcel sur Albertine. Il ne peut qu'attendre le moment où cette vérité lui sera devenue indifférente, parce que son amour sera mort. La liste des amants d'Odette, objet inaccessible de sa recherche frénétique, Charlus d'ailleurs la sait : « il peut l'énumérer avec autant de certitude que s'il avait récité la liste des rois de France ». La vie qu'il ignore, c'est celle de Morel, dont il est amoureux. D'Odette, quels qu'aient pu être leurs rapports, il ne le fut jamais. Mais la vérité qui aurait tant de prix pour Swann, pour Charlus, qui la détient, elle n'est qu'une simple nomenclature, dépourvue de signification, un fantôme de vérité, non pas une vérité vivante et palpitante. Odette n'est pas moins cachée à Charlus par l'indifférence qu'à Swann par la passion. Nous aussi, nous sommes bien renseignés sur elle. Nous savons qu'Elstir a fait son portrait, en travesti, sous le nom de Miss Sacripant; qu'elle a été « la dame en rose », maîtresse occasionnelle de l'oncle Adolphe; nous savons qu'elle a été mariée à M. de Crécy; qu'après avoir épousé Swann, elle épouse en troisièmes noces M. de Forcheville; qu'elle devient la belle-mère abusive de Saint-Loup, et enfin la maîtresse du duc de Guermantes. Nous pouvons suivre tant bien que mal le

Une amie de L. Weil

déroulement de ses amours multiples, depuis la démission de Mac-Mahon jusqu'à la fin de la guerre de 14-18. Mais ces renseignements ne sont que les morceaux d'un puzzle géant que nous ne pouvons pas reconstituer. Que reste-t-il en effet, de « la dame en rose » dans l'élégante Madame Swann, et de Madame Swann dans la vieille dame bafouée par les amis de sa fille ? Nous la connaissons comme nous connaissons les stars dont les magazines nous proposent, nous rabâchent les biographies « rewritées », c'est-à-dire pas du tout. Pas mieux assurément que les personnages dessinés par Proust d'un seul coup de crayon caricatural, comme l'ambassadrice de Turquie, ou la vieille marquise de Cambremer.

P uisque « chaque personne est bien seule », il est évident que nous ne pouvons rien savoir, ni des êtres que nous aimons, ni de ceux que nous n'aimons pas. Ils ne sont que des « noms ». Il n'y a pas plus de rapport entre leur nom et les sentiments qu'ils nous inspirent, qu'il n'y en a chez Saussure entre « le signifiant » et « le signifié ». Chaque personne est un mot d'une langue étrangère que nous ignorons et qu'il nous est impossible d'apprendre. Qu'importe, dès lors, leurs qualités, leurs défauts, leurs caractères, leurs âges, leurs sexes ?
On a reproché à Proust son « hypocrisie » parce qu'il a donné des noms de filles à des garçons, que, probablement, il préférait. Le narrateur appelle Albertine celui que Proust appelait Albert.
C'est, je pense, un reproche très injuste, et ceux qui le font à Proust montrent, par là même, qu'ils ne l'ont pas compris. Tout ce qu'il a su de l'homosexualité ou du sadisme, il nous l'a dit, avec la précision la plus consciencieuse. Il nous déclare d'ailleurs (III, 686) : « Personnellement, je trouvais absolument indifférent au point de vue de la morale qu'on trouvât son plaisir auprès d'un homme ou auprès d'une femme, et trop naturel et humain qu'on le cherchât là où on pouvait le trouver. » Je sais bien que la société où il a grandi était prude; j'y suis né moi-même. Dans cette juiverie de beaux quartiers et de la belle époque, entremêlée de catholiques

et de protestants, le judaïsme avait beaucoup dégénéré, mais le
puritanisme, lui, était intact : il est tout simple que, non seulement
par prudence ou par timidité, mais par désir d'être entendu, il
ait choisi d'appeler Gilberte et non pas Gilbert l'être dont le narrateur s'éprend ; il le pouvait d'autant plus qu'entre le narrateur et
lui-même, il met une distance, d'ailleurs inévitable. Mais il ne
croyait pas mentir et je crois qu'il n'a pas menti. Quelle importance
peut avoir le sexe de la personne aimée, si cette personne elle-même n'en a pas ? Supposé qu'Odette fût un homme, qu'y aurait-il de changé à « l'amour de Swann » ? Sans doute, il épouse Odette, et ils ont une fille. Mais l'amour de Swann pour Odette était mort, bien avant leur mariage. Nous nous doutions que, dans les moments où elle se cachait de Swann, elle se dévergondait, et Monsieur de Charlus transforme ces soupçons en certitude. Mais on peut imaginer aussi qu'à certains autres des moments où elle se cache, elle travaille à traduire un auteur

Verlaine et Rimbaud

anglais (elle aime à parler anglais) et même qu'elle y réussit
mieux que nous ne l'eussions espéré. Cela modifierait l'idée que
nous nous faisons d'Odette, mais nullement l'amour de Swann.
Proust a pensé, dit, répété, qu'entre la norme et la perversion
sexuelle, la différence tient à l'état de la société et à lui seul. Il
s'éloigne beaucoup, par là, de Freud et de tous les psychanalystes.
Mais il est absolument persuadé que l'inverti n'est anormal que
si les autres et lui-même le regardent comme tel.
Son livre dément un peu, il est vrai, sa doctrine : on lui doit une
galerie de portraits d'invertis désaxés, dans laquelle ressort celui
de Charlus dont la densité prodigieuse rompt les équilibres que

Proust prévoyait. Mais si Charlus s'oppose à Swann, la différence
ne tient pas à ce qu'Odette est une femme et Morel un garçon,
mais à ce que Swann s'apaise, se domine, tandis que Charlus descend la pente au bout de laquelle il devient totalement incapable
de se dominer. Si des invertis sont anormaux, ce n'est point par la
nature de leurs désirs, mais par leur impuissance à les refréner.
Pareils aux autres, tant qu'ils se retiennent, et différents lorsqu'ils
ne savent plus se retenir. Le
prince de Guermantes, Legrandin lui-même, sont invertis et ne
sont pas plus anormaux que des
hétérosexuels. On est tenté d'oublier le nombre des invertis quasi
normaux dans le roman de Proust
parce que les invertis anormaux,
et d'abord Charlus, ont un relief
beaucoup plus fort. L'homosexualité va d'une nuance légère
et imperceptible du comportement amoureux jusqu'à une
manie délirante qui excite à la
fois la compassion et l'horreur.
On trouve chez Proust un lien
entre le sadisme et l'homosexualité : Mademoiselle Vinteuil est

« Jeune cocher de Londres

lesbienne, et Charlus inverti. Mais nous savons tous, et Proust
n'ignore pas, que les homosexuels n'ont pas le monopole du sado-
masochisme ; le « rocher de la pure matière » auquel Charlus se
fait attacher, dans la maison tenue par Jupien, il s'érigeait aussi,
avec autant de pompe fallacieuse, dans les maisons qui proposaient
à leur clientèle des femmes, et non pas des garçons-bouchers.
Charlus est un malade dont la maladie, d'abord bénigne, progresse
jusqu'à une quasi-démence. Mais il ne serait pas moins malade,
s'il se comportait envers des êtres de sexe opposé comme il se
comporte quand Jupien n'ose plus le quitter, le laisser un quart
d'heure sans surveillance, tant il lui fait peur. Homosexuels ou

hétérosexuels, la folie nous guette tous, comme toutes les infir-
mités nous menacent : le prince de Guermantes, quoique inverti,
n'est pas plus déséquilibré que le duc; il peut épouser, sagement,
pour sa fortune, Madame Verdurin; Legrandin finit diminué — et
apaisé — comme Swann.

N'étreignant jamais que des nuées, nos bras sont pareillement rom-
pus, qu'elles aient la forme d'une nymphe ou celle d'un faune.

On pourrait conclure à la condamnation de l'amour qui naît
d'illusion, vit de mensonge, meurt de fatigue, et reste pour nous un désert. Rimbaud conclut ainsi. Il serait d'ailleurs facile de mon-trer que la plupart des critiques que Proust fait de l'amitié, s'appliquent aussi à l'amour. Mais, précisément, l'amour lui semble d'autant mieux justifié que son objet s'avère plus irréel, et ses espoirs plus chimériques; il ne nous rapproche pas de l'être que nous aimons, et que, au contraire, il éloigne de nous; mais il nous rend à nous-mêmes, au moi dont le monde nous écartait et que, sans l'amour, nous ne retrouverions jamais.

« Une figure pour l'Enfer »

Non moins suspicieux que les psychanalystes, il voit bien, dans
l'amour, un début de névrose, et souvent, une régression narcis-
sique. Mais, à l'inverse de Freud, il ne désire pas qu'on en guérisse.
Freud espère que son patient, rétabli par ses soins, se mariera, se
réconciliera avec la société environnante; Proust, lui, préfère de
beaucoup le Swann malade d'Odette, le Saint-Loup malade de
Rachel au Swann et au Saint-Loup mariés. Swann, enfin délivré,
sent que son amour est mort, il veut « faire ses adieux à cette Odette
lui causant des souffrances qu'il ne reverrait jamais ». Aussitôt,
« avec cette muflerie intermittente qui reparaissait chez lui dès

qu'il n'était plus malheureux et que baissait du même coup le
niveau de sa moralité, il s'écrie : dire que j'ai gâché des années
de ma vie, que j'ai voulu mourir, que j'ai eu mon plus grand amour
pour une femme qui ne me plaisait pas, qui n'était pas mon genre ».
Guéri d'Odette, ce charmant Swann tend à devenir ridicule. Tout
fier de recevoir « la femme d'un directeur » de ministère — lui
qui l'était si peu d'être invité à déjeuner par le président de la
République, et cachait si pudiquement ses amitiés princières. Il

Marcel Proust

finit un peu gâteux, tournant avec mollesse autour des serveuses
de pâtisseries. Charlus, paralysé, ressemble au contraire au roi
Lear. Saint-Loup, délicieux à l'époque de ses amours avec Rachel,
une fois marié à Gilberte, devient sournois, avaricieux. Où descen-
drait-il, nouveau Charlus, mais sans génie, s'il n'était arrêté dans
sa chute par la mort ?
Au narrateur, à Proust, une telle chute sera épargnée. L'amour
l'a rendu à la solitude, la solitude le dédie à son œuvre, fruit splendide des souffrances rédemptrices que lui a causées l'amour. Le
petit Marcel, qui vaguait de salon en salon, et donnait au *Figaro*

quelques chroniques chétives, devient l'auteur du *Temps retrouvé*
parce que l'amour lui a fait renoncer à tout le reste — et à l'amour
même, dont il finit par connaître l'inanité.

Oui, l'amour nous leurre toujours, et non seulement sur les personnes, mais sur les choses. Swann prête à la rue Lapérouse, parce
que Odette y loge, un charme mélancolique qu'elle n'a pas, et,
plus tard, la maison de Swann, identique à beaucoup d'autres
maisons cossues du XVIe arrondissement, paraît merveilleuse à
Marcel, parce qu'il est amoureux de Gilberte. L'amour fausse ce
qu'il éclaire, il donne au tortillard de Balbec une valeur poétique
que celui-ci tire de la présence d'Albertine. Mais, aux réalités extérieures qu'il déforme, il substitue une réalité intérieure, fondée sur

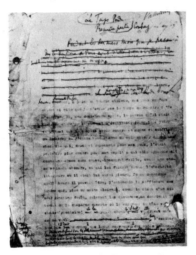

nos chagrins, bâtie dans nos mémoires, plus solide et plus authentique que l'autre. De même que
l'amour de Swann pour Odette,
l'amour de Marcel pour sa fille
métamorphose en déesse l'ancienne « dame en rose ». Mais,
par l'intercession de cette déesse
abusive, tout un monde est révélé
à Proust, un bois de Boulogne,
une allée de la reine Marguerite,
une allée des Acacias, où le man-
teau mauve d'Odette ressort, sur
un vaste cortège d'admirateurs
à monocle. Paysages abolis que
Proust ne pourra pas retrouver
quand il les recherchera, mais
que nous ne pourrons pas oublier,

« A la Recherche du Temps perdu »

après qu'il nous les aura décrits. A chacun, parce qu'il le replie sur
lui-même, l'amour ouvre un monde silencieux et merveilleux —
comme le monde sous-marin de Cousteau. Swann et Saint-Loup
l'explorent, comme Proust. Mais Proust seul a la force de le
dépeindre. C'est que, dans l'art également, s'il y a peu d'élus, il y a
beaucoup d'appelés. La plupart, hélas! renâclent; faute d'abné-

gation, de résignation, de patience, de courage, ils n'accomplissent pas l'œuvre qu'ils portent. Proust voudrait, par l'exemple de la sienne, la leur faire au moins entrevoir, comme dans « la Flûte Enchantée » on fait entrevoir Papagena à Papageno pour que ce dernier s'amende, et parvienne à la mériter.

Pour Proust, en effet, l'œuvre d'art est le salut; le seul peut-être; elle seule nous hisse, hors du Temps perdu, vers une éternité retrouvée; elle seule confère une certaine immortalité à ce qui paraissait, en nous, à la fois le plus personnel et le plus périssable. Mais si l'œuvre d'art est la fin, l'amour est le moyen unique — en tous cas pour des êtres tels que Proust dont la futilité naturelle demeure irrémissible tant que l'amour ne la fait pas cesser en agitant devant eux le voile illusoire et bariolé du bonheur. Ce bonheur auquel ils sont fous de prétendre, et que la personne dont ils l'espèrent ne saurait en aucun cas leur donner, mais que leur procurera, peut-être, la souvenance de leur amour défunt et de leurs illusions perdues. De même, à force de nous mentir, l'amour nous révèle la grande vérité, à savoir qu'il n'y a pas de vérité hors de notre esprit et de notre cœur. L'amour seul nous torture assez pour nous faire dépouiller le vieil homme, perdu dans les dédales de ses vanités, de ses ambitions, et de ses relations trompeuses. Car chacun est, sans doute, rivé à sa propre solitude et bien enfermé dans son propre îlot. Mais, sans l'amour, il ne s'en rend pas compte. Certes, nous ne sommes que trop sujets à des souffrances très diverses, mais la plupart d'entre elles nous accablent, sans nous persuader que nous sommes seuls, irrémédiablement; le prisonnier a ses compagnons, son avocat et même son juge; le malade a son infirmière, son médecin. Seul l'amour, parce qu'il tend toutes les forces de notre être vers un autre être, nous montre qu'aucune communication n'existe entre lui et nous, et nous fait interrompre nos communications menteuses avec tous ceux qui ne sont pas lui. Il désabuse Swann de tout ce qui n'est pas Odette, Marcel de tout ce qui n'est pas Albertine, et désabuse enfin Swann d'Odette et Marcel d'Albertine. Il joue, dans nos misérables vies dispersées, le rôle que joue le Koan dans la mystique Zen : il nous oblige à concentrer toute notre attention sur une chose parfaitement absurde et inintelligible : une phrase qui doit nous distraire de tout le reste, et dont nous ne pouvons découvrir le sens, puisqu'elle n'en a aucun. On peut dire que pour Proust, l'amour est radicalement mauvais, comme pour les bouddhistes l'attachement à la vie, mais que les souffrances qu'il produit sont bonnes et libératrices. A ce point de vue, l'inverti peut paraître privilégié : aimant les hommes qui aiment les femmes et qui donc ne peuvent pas l'aimer, il ne peut guère ignorer que son amour ne sera jamais réciproque; et il ne peut pas non plus l'enfouir sous les compromis sociaux dans

Charles Baudelaire

lesquels les amours normales risquent de se perdre, sans le savoir. Mais l'inversion, elle aussi, a ses triches et ses comédies, que Proust découvre sans pitié. En tous cas, ce n'est pas l'amour pervers, mais l'amour malheureux, que Proust célèbre. Swann pourrait se figurer qu'il continue d'aimer Odette, après l'avoir épousée; il aurait tort. Mais le fait est qu'il ne le croit pas. La perversion a l'avantage d'assurer que le pervers sera seul et réprouvé; elle révèle mieux sa solitude parce qu'elle pèse plus lourdement sur lui. Mais tout amour profond et jaloux suffit pour isoler ceux qui le ressentent : il n'a pas besoin de la garantie supplémentaire que l'homosexualité ajoute. Cette certitude que « chaque personne est bien seule » — et chaque amour malheureux —, on a dit qu'elle était liée aux déséquilibres dont Proust souffrait. C'est oublier tant de grands écrivains qui l'ont partagée avec lui, sans être asthmatiques ni désaxés. Quel poète contredit Aragon quand il affirme qu' « il n'y a pas

d'amour heureux » (et Proust, en somme ne dit rien d'autre).
Rimbaud, certes pas. Ni Baudelaire. Ni Vigny, ni Musset, ni
d'ailleurs Racine non plus que Ronsard. L'amour est-il moins
malheureux chez Dostoïevsky que chez Proust? Rogojine souffre-
t-il moins que Swann?

Proust savait très bien qu'il était malade et bizarre; mais il n'admet-
tait pas que sa conception de l'amour fût jugée ni définie par les
particularités de sa vie individuelle. Il a écrit le *Contre Sainte-Beuve*
pour nous défendre contre les tentations de cette mesquinerie erronée. De même que, si les amours de Vigny et de Marie Dorval sont
une imposture, *la Maison du Berger*, elle, n'en est pas une, et reste
ce qu'elle est, quels qu'aient pu être les rapports de Vigny avec la

police de Napoléon III, de
même, que Proust ait été malade
ou bien portant, riche ou pauvre,
aigri ou comblé, ne peut faire
que ses idées sur l'amour soient
fausses, si elles sont vraies, ni
vraies si elles sont fausses : on
ne saurait surestimer la force
avec laquelle il y croyait, à sa
volonté de les faire comprendre.
J'ai, quant à moi, toujours pensé
qu'elles étaient fausses, au moins
en grande partie. S'il n'y a aucune
communication entre les êtres,
comment le langage peut-il exister? S'il est impossible que je
comprenne Marcel Proust, comment me serait-il possible de

Louis Aragon

comprendre *A la Recherche du Temps perdu?* D'autre part, même
s'il n'y a pas d'amour heureux, il y a eu, et il y a, des couples
réels, qui ne se laissent réduire ni à des raisons de commerce
sociales, ni à l'entrelac de deux rêveries solitaires, qui, par l'effet
d'un hasard improbable, convergeraient au lieu de diverger,
comme c'est la règle. Le couple de Swann et d'Odette est une

chose, celui d'Isaac et de Rébecca, de Philémon et de Baucis, de Marcelin Berthelot, qui, à 80 ans, se tue pour ne pas survivre à sa femme, me semblent tout autre chose.

Si d'ailleurs les idées de Proust étaient totalement justes, on ne voit plus quelle différence on pourrait trouver entre l'accouplement et l'onanisme. Je le lui ai objecté, il m'a aussitôt chassé, mais ne m'a pas répondu.

Il me faut toutefois — et d'autant plus — reconnaître que la plupart des philosophes, des poètes, des romanciers et des psychologues pensent comme lui, et non comme moi. Freud est ici très proche de Proust, quoique Freud ait été assez robuste, et Proust chétif. Cela même suffirait à prouver que Proust n'a pas élaboré sa doctrine de l'amour afin de justifier ses propres vices et d'ériger en lois générales ses déficiences personnelles.

Lier cette doctrine au fait que Proust est un grand écrivain qui veut écrire un grand roman serait moins insoutenable. Tolstoï dit au début de *Anna Karénine* : « les familles heureuses se ressemblent toutes, les familles malheureuses sont malheureuses chacune à leur façon ». D'habitude, l'amour heureux parle moins que l'amour malheureux. Or les poèmes, les romans, et même la psychanalyse, se font avec des paroles, c'est-à-dire avec des mots.

C'est sans doute la raison pour laquelle les peintres et les sculpteurs semblent, devant les couples amoureux, beaucoup plus à l'aise que les poètes et que les romanciers. Il y a beaucoup de bons ménages dans les musées; Rodin ne trouve pas plus de difficultés à sculpter « le Baiser » que « Balzac », ou que « les Bourgeois de Calais ». Dans la littérature, l'amour est essentiellement élégiaque. Mais si on admet que « les peuples heureux n'ont pas d'histoire », on ne peut s'étonner que, pour des historiens, il n'y ait pas de peuple heureux, et qu'il puisse au contraire y en avoir, pour les ethnologues. Proust parle beaucoup de l'œuvre d'art en général, mais c'est à l'œuvre littéraire qu'il pense; l'amour partagé n'est certainement pas un bon sujet. Et il est tout simple que l'écrivain incline à sous-estimer ce qui n'est pas susceptible d'être écrit.

Je ne pense pas, néanmoins, que cette explication-là soit pertinente. A mon estime, le fait primordial, c'est que, pour Proust, l'amour est une ascèse initiatrice, et qu'une ascèse, en dehors de la solitude, lui paraît inconcevable.

L'amour est la seule voie qui nous soit ouverte. L'art n'en est pas une : la création artistique reste bien le but auquel cette voie mène et le signe qu'on l'a atteint. Mais l'étude de l'art, la connaissance des arts, l'histoire de l'art, la critique ne sont pas des voies du tout. Pas plus que le snobisme et la mondanité, elles ne mènent nulle part Brichot, ni Saint-Loup, ni Swann, ni Proust lui-même, perdu comme les autres tant qu'il n'a pas découvert l'inanité du *Journal* des Goncourt et des *Lundis* de Sainte-Beuve.

Quant aux voies que la religion fraye, curieusement, Proust ne s'en est pas soucié. Pas plus qu'il n'y a, dans son livre, d'enfant qui naisse, il n'y a d'homme qui prie ou tâche de prier. Charlus ne met pas en doute les leçons de son catéchisme, ni les pouvoirs de ses « bienheureux patrons ». Mais on ne peut parler sans indécence d'une vie religieuse de Charlus. Il est dit qu'Odette est « bien croyante » parce qu'elle ne veut pas jurer sur sa petite médaille quand elle ment; mais les soucis religieux ne sont vraiment pas très forts chez elle. Pas davantage chez Bergotte, chez Elstir, chez Vinteuil. Non plus que chez Gilberte et chez Albertine. Pourtant, elles ne sont pas très loin de leur Première Communion, quand nous faisons connaissance avec elles. Marcel qui se pose tant de questions au sujet d'Albertine ne cherche pas à savoir ce qu'elle croit, et ce qu'elle ne croit pas.

Proust nous parle souvent de liturgie, jamais de spiritualité. Sans doute, il a vécu en un temps et dans un monde où le sentiment religieux était l'objet d'un très fort refoulement; ou, soit respect, soit dédain, on s'accordait à n'en jamais parler. L'amour héritait donc de biens vacants qui appartenaient à la foi plus qu'à lui. Épris de Ruskin, d'Émile Mâle, et des portails gothiques, Proust a beaucoup pensé à l'Église, mais elle signifiait pour lui une joie peut-être, une ascèse non pas. Il ne s'est pas aperçu qu'il demandait à l'amour de nous transformer en ermites, et que son entrée en littérature ressemblait fort à celle d'un novice dans un couvent.

Quoique sa mère fût juive et l'empreinte maternelle beaucoup plus forte sur lui que l'empreinte paternelle, son esprit et son cœur

semblent très profondément chrétiens, et là où il n'en a pas
conscience plus encore que là où il le sait.

Bien sûr, ce n'est pas un auteur édifiant; on trouve beaucoup
d'écrivains plus catholiques, et il ne figure pas parmi eux. Mais
la Recherche semble, quand même, le roman le plus chrétien qu'ait
produit la littérature française depuis Madame de La Fayette. Et
c'est non seulement à cause des clochers de Martinville, du portail
de Saint-André-des-Champs, d'où descendent et où remontent la
plupart de ses personnages, ni à cause de ses aubépines, de ses
pommiers, sortis d'un livre d'heures, mais parce que son idée de

Le porche de l'église d'Illiers.

l'ascèse, fondamentale chez lui,
et incompatible avec l'accouplement, est toute chrétienne :
l'Église bénit le mariage, mais
ses grands saints et ses grands
mystiques l'évitent. La mystique
juive voit dans le célibat un
péché, dans le célibataire un
homme incomplet : on prend
avec soi une femme quand
on veut marcher vers Dieu.
Même le Siméon ben Jochai du
Zohar, qui atteint les plus hauts
degrés de la mystique, avait eu
une femme et il a un fils.
On n'imagine guère que Saint-
François d'Assise en ait un.
Mais à Proust, il semble évident
que l'amour ne pourrait pas exercer sa fonction purificatrice et
initiatrice s'il ne signifiait pas un surcroît de solitude, si l'amoureux ne devait pas monter seul le chemin de croix où il le pousse
et subsister seul dans le désert où il le fixe. « Chaque personne est
bien seule ». Mais il faut qu'elle le soit afin de rendre à Dieu
« l'adoration perpétuelle » qui la délivre du Temps et lui ouvre
l'éternité. Le couple — s'il existait — serait la négation de cette
solitude, seule susceptible de porter un fruit, et en dehors de laquelle

tout est futile, même le Bien. Il retirerait à la personne ses ultimes
chances de salut.

Je pense qu'il faut considérer, en outre, que les objections qu'appelle la doctrine proustienne de l'amour, perdent leur pertinence quand il s'agit d'adolescents et non pas d'hommes faits. Or, c'est très évidemment le cas dans *la Recherche du Temps perdu*. L'amour de Swann n'est qu'une ébauche de ce que seront les amours de Marcel; ses amours avec Gilberte sont des amours enfantines; elles ont pour principal théâtre les bosquets des Champs-Élysées où Gilberte est conduite par sa gouvernante et Marcel par Françoise.

Les chevaux de bois

Albertine succède à Gilberte. Mais, quand Marcel commence à l'aimer, ils jouent ensemble au furet. Et le premier des innombrables déboires qu'Albertine lui causera, c'est sa colère rageuse contre lui, quand, tout à la joie d'être à côté d'elle, et de toucher sa main, il laisse voir aux autres le « furet » qu'il devait cacher. Proust a terminé tard, il n'a même pas terminé son roman. On eût dit que la mort attendait, derrière la porte, qu'il l'achevât, et que, à la fin, elle s'est impatientée. Mais comme son livre a été sa « voca-

tion » et que sa vocation se confond avec sa vie, il l'a commencé
très tôt. Ses personnages, conçus dans l'enfance, ne sont pas sortis
du monde de l'Enfance. On est d'ailleurs surpris, déconcerté à
chaque fois, quand Proust parle de la vieillesse. Il se regarde lui-
même comme un vieillard, dès la fin de son premier volume : quand
il cherche au bois, en novembre, l'ombre de Madame Swann. Mais
cette *Tristesse d'Olympio*, retour mélancolique sur un passé aboli,
un monde disparu, il l'a publiée à 42 ans, et l'avait donc vécue
bien avant cette date. Il se juge d'ailleurs déjà usé, au temps de
son amour pour Albertine. Il constate qu'il n'a plus la force qu'il
avait de ne plus voir Gilberte, quand il savait que c'était le seul
moyen de retarder leur rupture. Le vieillissement, il en souffre
donc aux environs de sa vingtième année ! J'ai connu une jeune
fille qui parlant d'un garçon m'a dit : « il est un peu âgé, il aura
18 ans le mois prochain. »

Il veut, il croit que ses personnages vieillissent. Mais quand il les
retrouve, chez le prince de Guermantes, il voit en eux non des
vieillards, comme il se le figure, mais, ce me semble, des adolescents, et même des enfants maquillés. Il nous dit que Gilberte est
méconnaissable, qu'il la prend pour sa mère : mais quel âge a donc
Gilberte ? Elle s'est mariée jeune, et sa fille, qu'elle a eue assez vite
après son mariage, a 16 ans !

Que, pour un collégien, l'amour soit « une exaltation dans la solitude » et que la frontière entre l'acte sexuel normal et l'onanisme
soit pour lui encore floue, il ne se trouve guère de pédiatre qui le
conteste. Que les grandes amours soient les amours d'enfants, les
psychanalystes l'enseignent, et les poètes l'avaient soupçonné avant
eux ; la mère et la nourrice de Juliette disputent si elle vient d'avoir
ou si elle va avoir quatorze ans ; la Béatrice de Dante ne les avait pas...
Aussi bien, l'amour ne serait pas le grand initiateur qu'il est pour
Proust, si ceux qu'il doit éduquer avaient cessé d'être éducables.
Il peut encore sauver et il sauve le jeune Marcel, non pas Swann
qui n'écrira pas plus, après qu'avant, ses amours avec Odette, son
grand ouvrage sur Vermeer.

Et il est tout simple que, pour l'adolescent, l'amour soit ce qu'il est
chez Proust : initiation ou dévoiement, qu'il mène donc les élus

à la création artistique, et au « rocher de la pure matière » les réprouvés. Pour l'homme fait, l'amour signifie plutôt, soit un accomplissement, soit un échec. Mais cet amour où on est deux, Proust ne l'éprouve pas, ne l'imagine guère, et, s'il suppose que d'autres l'éprouvent, il ne s'y intéresse pas. Une de ses plus grandes forces est de rester, parmi les romanciers français, avec son cher Nerval, et sans doute davantage, le plus fidèle à l'Enfance. Cette enfance pour laquelle les amours sont de sombres enfers, qu'une fois devenus romanciers ou poètes, il nous appartient de transmuer en vert paradis.

E. B.

Proust
à la recherche
de
son Temps

De sa mère, Proust a hérité ce regard qui ne s'arrête jamais aux apparences, la beauté grave et le sourire ironique, le goût des choses de l'esprit. Bien qu'ils se voient tous les jours, la mère et le fils s'écrivent fréquemment : le moindre sentiment, la moindre pensée sont prétexte à des entretiens sans cesse prolongés, renouvelés. Chez cet adolescent fragile, l'introspection est une très ancienne habitude, écrire un besoin essentiel. La correspondance avec ses amis, ses carnets de notes, les cahiers où il élabore en secret le futur « Jean Santeuil » témoignent de cette irrépressible nécessité de ressaisir, par l'analyse ou la description, chaque élément de la vie. La vocation littéraire de Marcel est bien accueillie par sa mère : elle souhaite qu'une publication vienne consacrer ce talent dont elle ne doute pas et, quand le jeune homme s'égare dans les futilités de la vie mondaine, elle le supplie de « se mettre enfin à un travail sérieux ».

Marcel, Robert et Mme Proust vers 1895

Après une année de philosophie, sous l'égide d'un m[…]

La classe terminale marque, dans la vie de Marcel Proust, une année d'exceptionnel enrichissement. Alphonse Darlu, son professeur de philosophie au lycée Condorcet, réagit d'une part contre le positivisme matérialiste alors en vogue, d'autre part contre le spiritualisme pur, et situe sa doctrine à mi-chemin de ces deux

La classe de M. Darlu (Proust dernier à gauche au deuxième rang)

extrêmes. Cette conception servira de base à « la Recherche du Temps perdu » : « Je m'étais rendu compte, écrit le narrateur, que seule la perception grossière et erronée place tout dans l'objet, quand tout est dans l'esprit » et il revient deux pages plus loin sur le « caractère purement mental de la réalité ».

...Proust se hâte d'accomplir ses obligations militaires.

Orléans, la caserne du quartier Châtillon

Fantassin délicat engoncé dans la capote militaire, Marcel Proust a devancé l'appel en 1889 pour bénéficier du « volontariat » qui permettait de ne faire qu'un an de service. Affecté au 76ᵉ Régiment d'Infanterie d'Orléans, ce surprenant soldat aux phrases « aimables et souples » supporte bien l'épreuve grâce à la compréhension d'un colonel sensible au prestige civil et aux lettres de recommandation. Il fait la connaissance de Robert de Billy, alors artilleur à Orléans; une amitié solide naît entre eux, qui se prolongera bien au-delà des murs de la caserne. Le dimanche, le jeune « exilé » passe sa permission à Paris, se replonge avec délices dans l'atmosphère familiale, fréquente le salon de Mme Arman de Caillavet chez qui il rencontre Anatole France.

Vocation ou snobisme ?

Affiche pour la Revue Blanche (Bonnard)

Au tennis du boulevard Bineau, Marcel, trop fragile pour pratiquer un sport, est « chargé du goûter » et se contente de charmer, par sa conversation brillante, un groupe de jeunes filles en fleurs ironiquement baptisé « Cour d'Amour ». Parmi elles, Jeanne Pouquet qu'il comble de prévenances... et de vers « détestables ». Avec quelques jeunes gens, il fonde une revue « le Banquet », qui manifeste pour tous les problèmes politiques, sociaux, historiques, intellectuels, une égale curiosité. Proust choque ses amis en donnant des portraits de gens du monde, écrits dans un style « fin de siècle ». Sa collaboration à la « Revue Blanche », fief du symbolisme, accentue encore le malentendu autour de son talent : il passe pour un snob, un « attardé ».

Proust
aux pieds de Jeanne Pouquet en 1892

*La critique
s'interroge sur le talent
de ce dandy
et condamne le premier
recueil
pour excès de préciosité.*

MARCEL PROUST

LES PLAISIRS
ET
LES JOURS

ILLUSTRATIONS DE MADELEINE LEMAIRE
PRÉFACE D'ANATOLE FRANCE
ET QUATRE PIÈCES POUR PIANO DE REYNALDO HAHN

PARIS
CALMANN LÉVY, ÉDITEUR
3, RUE AUBER, 3
1896

Frontispice de l'édition originale

*Sous un titre pastiché d'Hésiode
— mais ici les plaisirs prennent
cyniquement la place des travaux —
Proust publie son premier livre :
« les Plaisirs et les Jours », composé
presque entièrement d'articles et de
contes déjà parus dans « le Banquet » et « la Revue Blanche ». Le
jeune dandy de vingt-cinq ans a
obtenu une préface signée par Anatole
France (on prétend que Mme Arman
de Caillavet, égérie de l'écrivain et
amie de Proust, aurait rédigé une
partie du texte), des aquarelles de
Madeleine Lemaire, des pièces musicales de Reynaldo Hahn. La préface insiste sur « Une atmosphère
de serre chaude... Des orchidées sa-
vantes... Une étrange et maladive
beauté... Un climat décadent. » Les
« soyeux feuillets » trop adornés, trop
coûteux, sont froidement accueillis :
malgré l'apparition des premiers
thèmes proustiens, le livre manque
d'originalité. Les critiques sérieux ne
citent même pas le nom de Proust :
« Pour eux, écrit Valéry Larbaud,
il était l'auteur d'un livre, au titre
vieillot... un livre d'amateur mondain...
dont ils n'avaient rien à dire. »*

Une illustration de Madeleine Lemaire

La querelle littéraire s'achève par un duel d'opérette.

Un duel au pistolet

Insulté par Jean Lorrain qui avait qualifié « les Plaisirs et les Jours » de livre précieux et prétentieux, Proust lui envoie ses témoins. En 1897, à la Tour de Villebon, les deux hommes se battent au pistolet. Sans résultat. Mais en dépit de sa faiblesse physique, Marcel a fait preuve de courage, et il a eu « son » duel, gloire peu négligeable en cette époque où les duels fréquents entretiennent une atmosphère de Fronde. On s'étonne néanmoins de voir ce jeune homme si doux recourir aux armes; un passage de « la Recherche » nous en livre l'explication : « Je tenais de ma grand-mère d'être dénué d'amour-propre à un degré qui ferait aisément manquer de dignité... J'avais fini par apprendre de l'expérience de la vie qu'il était mal de sourire affectueusement quand quelqu'un se moquait de moi et de ne pas lui en vouloir. »

Émile Zola

Accusé de trahison malgré la faiblesse des charges retenues contre lui, le capitaine Dreyfus est condamné au bagne. La presse déchaîne une campagne antisémite, la France est divisée. En 1896, le colonel Picquart prouve la culpabilité du commandant Esterhazy mais l'État-Major se refuse à reconsidérer l'Affaire. Dans son ter-

« Garde du Déshonneur » pour Dreyfus

rible « J'accuse », Zola dénonce les intrigues ourdies contre la réhabilitation de Dreyfus. Désapprouvé par nombre de ses amis, ces gens du monde dont l'estime lui est pourtant si précieuse, Proust proclame ouvertement son dreyfusisme, démontrant ainsi que chez lui le snobisme ne détruit pas l'esprit de vérité.

Esterhazy

HISTOIRE D'UN INNOCENT

Paris. — Imp. Pothy

Il y avait en 1894, à l'État-Major français, un jeune officier alsacien très savant, patriote et de bonne conduite appelé Dreyfus.

Par malheur, il y avait aussi, dans son bureau, deux autres officiers : Du Paty de Clam et Henry, jaloux, intrigants, fourbes. Ils complotèrent de le perdre à la première occasion.

Un jour, un agent dévoué à la France réussit à dérober un papier chez l'ambassadeur prussien. C'était justement une lettre d'un Français qui offrait de vendre sa patrie à l'Allemagne.

Du Paty et Henry en profitèrent aussitôt pour faire croire à leurs chefs et à la France que ce traître était Dreyfus.

Les chefs, confiants en leur parole d'honneur, se laissèrent tromper et, croyant venger la patrie, condamnèrent Dreyfus.

Il fut condamné à perpétuité, mais le jour où on lui arracha ses galons, il cria fièrement : « On dégrade un innocent, vive la France ! » Et beaucoup de gens versèrent des larmes.

Voilà quatre ans qu'un brave et honnête officier alsacien, qui ignore pourquoi on l'a condamné, vit désespéré sur un rocher au milieu du grand Océan.

Pendant ce temps, sa pauvre jeune femme pleure toutes les larmes de son corps et ses deux orphelins crient : « Maman ! où est mon papa ! »

Un beau matin, un colonel d'État-Major, le brave et magnifique colonel Picquart, découvrit le vrai traître. Il s'écria alors : « Il faut sauver l'innocent et punir le coupable ! »

Il y eut aussi des civils comme Zola, Bernard Lazare, Jaurès, Duclaux (celui qui guérit la rage), qui réclamèrent la justice pour l'innocent, car eux aussi avaient découvert le vrai traître.

C'était un autre officier, le pire des mauvais sujets, appelé Esterhazy, à la solde de la Prusse et qui voulait se faire uhlan pour massacrer des Français.

Mais Du Paty et Henry, qui ne voulaient pas voir revenir Dreyfus, se mirent à fabriquer de faux papiers qu'ils mirent sur son compte et protégèrent Esterhazy, le traître.

Pour mieux tromper la France, ils firent emprisonner le colonel Picquart et voulurent faire condamner Zola, sous prétexte d'insultes à l'armée, mais ils n'y réussirent pas.

Les mensonges ont les jambes courtes. Henry, pris la main dans le sac, avoue avoir fabriqué les faux papiers. On l'arrête, mais ses remords sont si terribles qu'il se coupe la gorge.

L'autre faussaire, Du Paty, fut chassé de l'armée. Quant au vrai traître, Esterhazy, il s'enfuit .n Allemagne. Bon voyage ! monsieur le uhlan !

Au jour prochain, on rendra ses galons à Dreyfus et la France glorieuse réparera noblement l'injustice faite à un de ses soldats les plus dévoués.

Les Dreyfusards ont triomphé. L'Affaire s'est pourtant terminée sur une série de coups de théâtre : documents maquillés, fausses dépositions, interventions de personnalités antidreyfusardes; le conseil de guerre, chargé de la révision du procès, a confirmé la culpabilité et la condamnation. Pour éviter le pire, Waldeck-Rousseau a choisi de grâcier Dreyfus et déclaré l'incident clos. Il faudra attendre l'arrivée au pouvoir en 1906 des Dreyfusards, Clemenceau à la présidence du Conseil et Picquart au Ministère de la guerre, pour que Dreyfus soit véritablement réhabilité. En réponse à l'antisémitisme, l'Affaire a déclenché un puissant courant anticlérical chez les républicains victorieux.

défendra l'Eglise vaincue avec les antidreyfusards.

Expulsion des moines d'un couvent

Transférant ses griefs sur l'Église elle-même, le « bloc des gauches » lutte contre les congrégations et l'enseignement privé. La loi de 1901, encore modérée, contraignait le clergé régulier à solliciter des autorisations d'enseigner et restreignait ses privilèges. Celle que fit voter en 1904 l'ancien séminariste Combes, devenu président du Conseil, interdisait l'enseignement aux congrégations religieuses et permettait de les dissoudre. De nombreux couvents et noviciats durent fermer. Manifestant une fois encore sa haine des querelles partisanes, Proust défendit dans « le Figaro » les églises menacées de désaffection : « On ne tue pas l'esprit chrétien en fermant les écoles chrétiennes. »

Familier du salon de la princesse Mathilde...

La princesse Mathilde

Dans son « Atelier » de la rue de Courcelles, la princesse Mathilde, nièce de Napoléon, tenait l'un des plus brillants salons littéraires de Paris. Proust lui est présenté par Madeleine Lemaire et dès lors il est admis dans l'entourage de la princesse. Les noms de la noblesse impériale, évoquant le souvenir d'une épopée, autant que le cérémonial de la vieille dame, enchantent Marcel Proust : entourée de ses dames d'honneur, assise dans un fauteuil rouge, la princesse Mathilde se lève pour chaque invité, répond par un sourire au baisemain ou à la révérence. Il se souviendra de ces scènes pour décrire les soirées de la princesse de Guermantes ou de la princesse de Parme.

« L'Atelier » de la princesse Mathilde

Robert de Flers (à gauche), Lucien Daudet (à droite) et Marcel Proust (assis)

L'affection tyrannique qu'il leur manifeste, sa modestie et sa générosité, sa sensibilité « à vif », tour à tour séduisent et irritent les amis de Marcel Proust. Cependant, nouées sur les bancs du lycée, dans les rangs de l'armée ou les réunions de salons, certaines de ses amitiés resteront fidèles et vivaces jusqu'à la fin. Robert de Flers qui participe à la fondation du « Banquet » retrouve Marcel aux « jeudis » d'Alphonse Daudet. Avec Lucien, fils cadet du romancier, Proust partage un sens aigu de l'humour et l'horreur des « louchonneries », des « phrases qui font loucher »; ensemble, ils visitent le musée du Louvre où Proust se révèle un merveilleux critique d'art.

des plus brillants jeunes gens de l'élite parisienne.

Reynaldo Hahn

Robert de Billy

Prince Emmanuel Bibesco

Gaston de Caillavet

Une parfaite communauté de goûts rapproche Marcel Proust de Reynaldo Hahn « qui avait un excès de tous les mérites et un génie de tous les charmes ». Ils ont tous deux une curiosité universelle, une passion pour la musique, l'art de conter et le même pessimisme, « pain quotidien de tout être intelligent ». Gaston de Caillavet, ancien camarade de Condorcet, et Robert de Billy, avec qui Proust fréquente les cours de Sciences politiques, appartiennent eux aussi à ce premier groupe d'amis. Viendront bientôt s'y joindre Emmanuel Bibesco et son frère Antoine. Amitiés jalouses, confidentielles, qui ont leur code, leurs conventions de société secrète, et que rien ne pourra défaire.

COLLECTION D'AUTEURS ÉTRANGERS

JOHN RUSKIN

—

La

Bible d'Amiens

TRADUCTION, NOTES ET PRÉFACE

PAR

MARCEL PROUST

PARIS

SOCIÉTÉ DV MERCVRE DE FRANCE

XXVI, RVE DE CONDÉ, XXVI

—

MCMIV

Une traduction des œuvres de Ruskin...

John Ruskin

Pour échapper à sa réputation d'écrivain de salon, Proust, enlisé dans « Jean Santeuil » qu'il n'arrive pas à terminer malgré ses efforts, entreprend une œuvre d'érudition : la traduction d'ouvrages de Ruskin. Il lui faudra six ans pour venir à bout de la « Bible d'Amiens » et de « Sésame et les Lys », enrichis de préfaces, notes et commentaires. Tâche ardue puisque Marcel connaît à peine l'anglais : sa mère fait le « mot à mot » qu'il remanie avec les conseils de Marie Nordlinger, cousine de Reynaldo Hahn, et de Robert d'Humières, traducteur de Kipling. Discipline intellectuelle qui lui permet de « mettre au jour » sa pensée, et de fixer son style : minutie dans la description, prédilection pour les nuances, décomposition savante de chaque émotion.

Venise vers 1900 - (La Loggia)

« *Mon admiration pour Ruskin donnait une telle importance aux choses
qu'il m'avait fait aimer qu'elles me
semblaient chargées d'une valeur plus
grande même que celle de la vie.* »
Si, grâce à Ruskin, Proust apprend
à décrire, il apprend aussi à voir.
« *Je partis pour Venise afin d'avoir
pu, avant de mourir, approcher, toucher, voir incarnées, en des palais
défaillants mais encore debout et
roses, les idées de Ruskin sur l'architecture domestique du Moyen Age.* »
Sa grand-mère et sa mère ont légué
à Proust l'amour du XVIIe siècle
français, Ruskin lui donne « *l'intelligence du Moyen Age* » : *Vézelay, Rouen, Semur, Amiens, Coucy,
Senlis, Avallon,* sont les principales
étapes d'un pèlerinage archéologique.

Proust (au fond) et ses amis devant
l'abbaye de Saint-Leu d'Essérent.

...ne lecture minutieuse des chefs-d'œuvre architecturaux...

...dont il s'inspire pour la construction de son roman.

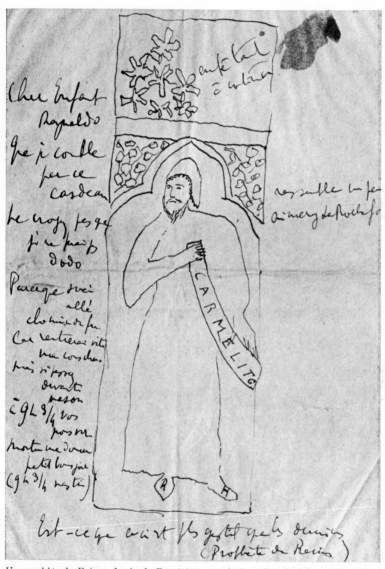

Un prophète de Reims, dessin de Proust sur une lettre adressée à Reynaldo Hahn.

Imprégné de l'esprit des cathédrales, Proust a retrouvé, pour construire son roman, la simplicité et la majesté de leurs lignes. « J'avais voulu donner à chaque partie de mon livre le titre : Porche, Vitraux de l'abside, etc... pour répondre d'avance à la critique stupide qu'on me fait de manquer de construction... » Critique stupide en effet : tout n'est qu'harmonie dans cette arche immense qui, par-delà les années, unit « Du côté de chez Swann » au « Temps retrouvé ». D'une aile à l'autre, obéissant à une secrète symétrie, les détails se répondent, se complètent et telle est leur nécessité qu'on ne peut en retirer un seul sans compromettre l'ensemble de cet édifice géant.

Statue-colonne du portail central de la cathédrale de Chartres

Une édition de « Matière et Mémoire »

Henri Bergson, professeur au Collège de France et devenu par son mariage avec Mlle Neuberger le cousin de Proust, aura sur « la Recherche du Temps perdu » une influence capitale : Proust cependant n'applique pas le bergsonisme, il le vit, le sent, le retrouve personnellement. Les associations involontaires qui livrent la clé d'un passé enfoui dans la mémoire, les cheminements de l'intuition dans les champs inexplorés de l'inconscient, l'évolution perpétuelle de la personnalité dans la durée, les insuffisances de la seule intelligence pour comprendre et saisir la vie, la souveraineté de l'art, unique réalité du monde : autant de thèmes communs au bergsonisme et à la vision proustienne.

Henri Bergson

évèle, entre Proust et Bergson, une affinité intellectuelle.

Le comte R... ... Montesquiou

CHAPITRE V

Une
véritable comédie
humaine

PAR MATTHIEU GALEY

D ans *la Difficulté d'Être*, Jean Cocteau a décrit Proust lui lisant au hasard des pages de son œuvre : « Il pouffait derrière sa main gantée, d'un rire dont il se barbouillait la barbe et les joues. « C'est trop bête, répétait-il, non... je ne lis plus. C'est trop bête. » Curieuse attitude, assez révélatrice. Pour l'auteur, *A la Recherche du Temps perdu* n'était pas seulement une aventure de la mémoire et une approche nouvelle de l'amour; c'était aussi (pour ne pas dire surtout) la satire précise, constante, intime, d'une certaine société, de « la société », la bonne, la haute, celle qu'on révère, qu'on envie, celle où les ridicules de la vanité fleurissent avec l'exubérance, l'exotique foisonnement des plantes de serre. Parmi ces fleurs qui attirent le regard, les plus bizarres, les plus caractéristiques sont les snobs.
Aussi bien, chez cet observateur féroce, snobisme et comique sont

inséparables ; son œuvre entière est une parodie de ces rites absurdes, une caricature de ces ridicules, une magistrale et dérisoire anatomie du « monde », dont il ne reste plus rien après sa leçon que des lambeaux sanglants. Qu'on ait donc pris aujourd'hui l'habitude de baptiser « proustiens » les précieux, les affectés, les esthètes semble fort cocasse, comme l'a noté avec justesse Jean-François Revel, puisque Proust est au contraire le critique de ces snobs, d'autant plus impitoyable qu'il fait rire à leurs dépens.

Une lecture superficielle de ce vaste roman est peut-être à l'origine de ce malentendu. Mais il faut également incriminer la légende. La chambre tapissée de liège, la vie nocturne, les réceptions au Ritz, l'œillet à la boutonnière du portrait peint par Jacques-Émile Blanche, les poses alanguies de certaines photographies (poses inspirées par les photographes de l'époque), et jusqu'à l'asthme, considéré comme une maladie d'enfant gâté, tout cela contribue à fausser le jugement, à favoriser la confusion entre l'auteur et ses personnages, tant l'extravagance de ces mœurs paraît voisine ou parente de celle que Proust prête à plusieurs de ses créatures.

Si l'on examine avec un peu plus d'attention ce monument — ou plutôt si l'on décrypte ce document chiffré en utilisant la grille du comique et du snobisme —, on retrouve une sorte de dessin, ou mieux encore une courbe qui est celle de l'œuvre même. On peut en effet comparer *la Recherche* à une symphonie, avec des mouvements successifs : adagio, lento, presto... Le premier morceau, *Du côté de chez Swann*, est une ouverture pastorale, idyllique. Le comique y est présent, bien qu'atténué, tempéré de tendresse. Les thèmes sont indiqués ; rien de plus. Avec *Un amour de Swann*, où apparaissent Mme Verdurin et son « clan », la satire se fait plus vive. Puis, dans les volumes suivants, jusqu'à *la Prisonnière*, au fur et à mesure que se multiplient les marionnettes *Du côté de Guermantes*, autour de la duchesse, et que prend forme le minutieux portrait en pied de M. de Charlus, le véritable dessein du compositeur se précise. L'ironie se nuance à l'infini, les scènes burlesques gagnent en force et le snobisme contamine allégrement tout l'univers proustien, comme une gale. *La Prisonnière* et *la Fugitive* font ensuite figure d'intermèdes ; la passion morbide, exclusive, du narrateur pour

Albertine éclipse ses autres intérêts. Le décor et la figuration mondaine s'estompent, pour reparaître enfin, violemment éclairés, sous la lumière crue, cruelle, du *Temps retrouvé*, dernier mouvement où la gravité, voire l'épouvante, l'emporte sur le rire, qui se fige en grimace devant ces sursitaires de la mort.

A l'origine, le petit garçon qui « longtemps s'est couché de bonne heure » découvre le snobisme par réfraction, par personnes interposées. Sa famille (et en particulier ses grand-tantes) cultive des préjugés bourgeois, snobisme à rebours, d'autant plus profondément implanté dans notre société qu'il est quasiment inconscient. Ainsi Swann, « un des membres les plus élégants du Jockey-Club, ami préféré du comte de Paris et du prince de Galles » (1), n'est, à Combray, que « le fils Swann », faisant partie « pour toute sa vie d'une caste où les fortunes varient entre tel et tel revenu » (1). Et si d'aventure ce mondain secret apparaît en habit parce qu'il a dîné chez une princesse, révèle Françoise, on hausse les épaules avec une ironie sereine en raillant : « Oui, chez une princesse du demi-monde ! »
La méfiance est le snobisme de la province ; une incrédulité à toute épreuve est son arme défensive la plus efficace ; un aveuglement dont on a oublié qu'il a été volontaire lui sert de lunettes pour observer les étages supérieurs, ou inférieurs, de la société. La grand-mère du narrateur va-t-elle rendre visite à la marquise de Villeparisis, qui n'est pour elle qu'une amie de pension — « avec laquelle, à cause de sa conception des castes, elle n'a pas voulu rester en relations malgré une sympathie réciproque » (2) — elle revient entichée du giletier Jupien qui loge dans la cour de l'hôtel, « l'homme le plus distingué, le mieux qu'elle eût jamais vu » (2), et qui parle comme Mme de Sévigné soi-même. En revanche, un neveu de la marquise ne l'a point séduite : « Ah ! ma fille, comme il est commun ! » (2) Selon le même dogme des classes imperméables les

● *(1) T. I, p. 15 et 16.* ● *(2) T. I, p. 20.*

unes aux autres, « on cesse de voir le fils d'un notaire parce qu'il a
épousé une altesse, ce qui le fait descendre au rang d'un de ces
anciens valets de chambre ou garçons d'écurie pour qui on raconte
que les reines eurent parfois des bontés ». Il faut que l'ordre règne,
que diable! C'est une pétition de principe plutôt qu'une critique.
On devine chez Proust, derrière sa discrète ironie, une sorte d'appro-
bation indulgente, compréhensive au moins, qu'éclairera l'effroyable
tableau qu'il brosse du « monde » dans les volumes suivants.

Dans *Du côté de chez Swann*, les personnages comiques existent,
mais indépendamment du snobisme d'abord. Telles sont, par
exemple, les tantes Céline et Flora, virtuoses de la périphrase,
si adroites dans l'art de l'allusion subtile qu'on ne soupçonne jamais
les trésors d'esprit qu'elles y cachent, ou la célèbre tante Léonie,
dont l'existence recluse reproduit, à l'échelle d'une chambre de
malade imaginaire, la « mécanique » de l'étiquette versaillaise
sous Louis XIV, et qui tyrannise avec d'infinis raffinements dans
la méchanceté sa cour microscopique composée de Françoise,
d'Eulalie, du curé et de la fille de cuisine...

Le premier snob véritable entre en scène sous les traits de M. Legrandin. Parce qu'il est aux côtés d'une châtelaine des environs,
ce bourgeois répond aux saluts « d'un air étonné, comme s'il ne
nous reconnaissait pas, avec cette perspective du regard particulière
aux personnes qui ne veulent pas être aimables... et qui ont l'air de
vous apercevoir comme au bout d'une route interminable... et se
contentent de vous adresser un signe de tête minuscule pour le
proportionner à vos dimensions de marionnette » (1). Il s'agit
d'un incident mineur, sur lequel le romancier ne s'étend pas. Mais
Legrandin est la première hirondelle, l'éclaireur qui annonce le
vol. Et la description de ce salut, ce petit travail d'horlogerie,
contient en puissance toute la méthode proustienne, pour mettre
en relief les snobs et leurs ridicules. Plus il avancera dans la connaissance et dans la reconstitution du « monde », plus l'analyste
perfectionnera son système, tout en conservant cependant le même
schéma. Le snobisme se manifeste — comme dans ce salut de Le-

● *(1) T. I, p. 119.*

grandin — par des gestes, des rites chargés de significations mystérieuses, par des *signes* (1). Un philosophe, Gilles Deleuze, a même avancé que l'œuvre entière de Proust est une interprétation de signes : les signes de l'amour (par exemple tous les indices qui excitent la jalousie de Swann amoureux d'Odette, ou celle du narrateur amoureux d'Albertine), les signes de la mémoire, comme la fameuse « petite madeleine », et les « signes mondains ». Il place ces derniers sur le même plan que les autres ; c'est dire leur importance,

qu'on a trop souvent tendance à minimiser. Ces signes mondains, émis par les snobs, sont les plus curieux, car ils ne correspondent à rien. L'ambition mondaine demande une farouche énergie pour conquérir... du vent, quelque chose d'impalpable, d'inexistant : un carton d'invitation, une place dans une loge, le sourire d'une duchesse. C'est en somme un art abstrait, absurde. Il suffit d'en démonter le mécanisme pour en extraire la totale gratuité. L'attitude choisie par Proust est fort simple dans son ingéniosité : il joue les naïfs. Il décrit ce qu'il voit, « comme s'il ne comprenait

« *Le café de Paris* »

pas » les mobiles de ses personnages, ce qui a pour résultat d'en faire ressortir du même coup la cocasserie et le profond comique. Il nous place ainsi dans la position d'un observateur qui verrait, de l'extérieur, par la fenêtre, des danseurs se trémousser dans une salle de bal, sans entendre la musique. Cette gymnastique insolite provoque aussitôt l'hilarité. Proust n'agit pas autrement pour isoler, pour souligner la risible bêtise du snobisme.

Cependant, dès qu'on entreprend de pousser un peu loin l'étude

● *(1) L'italique dans tout le chapitre est notre fait.*

d'un comportement, il faut nuancer. Si Legrandin est le snob à l'état pur, atteint en somme d'une maladie sans complications, d'autres cas réclament un examen plus subtil. Il est évident que le snobisme d'une altesse ou d'une grande dame, s'il est de même nature que celui d'un roturier (c'est-à-dire une réelle dépense d'énergie pour obtenir un résultat virtuel, fictif, immatériel), ne se manifeste pas de la même manière. Bien au contraire, les diffé-rentes formes de snobismes s'opposent les unes aux autres suivant l'étage d'où on les observe. Elles reproduisent, au niveau de la parodie, une espèce de lutte des classes, tout aussi farouche et sans pitié que celle des prolétaires et des capitalistes, telle qu'elle nous est décrite par Marx.

Il s'agit donc, là aussi, d'une guerre à mort pour conquérir ou conserver — non pas le pouvoir ou les moyens de production — mais une chimère qui est la cote. La stratégie est d'autant plus délicate que cette cote varie sans cesse au gré d'événements impon-dérables, imprévisibles. Les hostilités sont permanentes et celui qui s'endort au faîte de la puissance mondaine peut fort bien, s'il n'y prend garde, se réveiller oublié, coulé, noyé. L'hypocrisie, le mensonge et la lâcheté étant les armes les plus couramment em-ployées dans ce conflit, nul n'est à l'abri. L'existence du snob cons-cient est un enfer. Un enfer qu'il ne troquerait pour rien au monde contre un paradis sans coteries.

L a guerre décrite par Proust n'est pas une guerre de mouve-ment, c'est une guerre de siège; il faut distinguer par consé-quent entre le snobisme défensif et le snobisme offensif, entre les « grands » qui tiennent les places fortes par droit de naissance et les défendent grâce à leur génie de la ruse, des fausses sorties, de l'intimidation, et la piétaille qui réussit souvent à s'y introduire par tous les moyens déloyaux dont elle dispose.

Parmi ces nobles, dont les noms faisaient rêver le petit garçon de Combray, qui se représentait le duc et la duchesse de Guermantes, « tantôt en tapisserie, comme était la comtesse de Guermantes dans le « Couronnement d'Esther » de son église, tantôt tout à fait impalpables comme l'image de Geneviève de Brabant, ancêtre de la famille, que la lanterne magique promenait sur les rideaux de sa chambre » (1), (illusion progressivement dissipée quand il connaîtra mieux Oriane, Basin et leurs familiers), parmi ce peuple hautain règnent encore — fictivement — quelques altesses. Certaines, comme la princesse Mathilde ou la reine de Naples, sont des personnages réels, d'autres, calquées sur elles, comme la princesse de Parme et la princesse de Luxembourg, sont inventées. Mais toutes pratiquent un snobisme particulier. Assurées d'une position inexpugnable, elles s'offrent le luxe d'une modestie bon enfant qui est le comble de l'artifice.

Ainsi la princesse Mathilde — le mot est authentique — parlant à son neveu engagé dans l'armée russe, lui dit : « Ce n'est pas une raison parce que tu as eu un militaire dans ta famille!... faisant, avec cette brusque simplicité, allusion à Napoléon Ier » (2). On retrouve là, à deux siècles de distance, un troublant écho du trait noté par Saint-Simon, qui raconte que le chevalier d'Aubigné, frère de Mme de Maintenon, parlait de Louis XIV en disant : « le beau-frère »...

De même, l'imaginaire princesse de Parme, dénuée de snobisme (vulgaire) comme la plupart des véritables altesses, applique cependant les préceptes orgueilleusement humbles d'un snobisme évangélique, et converse avec un inconnu, lui parle de son fils Albert, et lui demande des nouvelles de sa famille comme si les Parme pouvaient frayer avec des bourgeois quelconques. Cette amabilité est inversement proportionnelle à sa grande situation. « Tes aïeux, se dit-elle, étaient princes de Clèves et de Juliers dès 647; Dieu a voulu dans sa bonté que tu possédasses presque toutes les actions du canal de Suez et trois fois autant de Royal Dutch qu'Edmond de Rothschild... On ne peut rien changer à l'ancienneté de ta race, et on aura toujours besoin de pétrole... » (3) C'est pourquoi, consciente de sa puissance et de sa richesse, elle a pour chacun « cette charmante politesse qu'ont avec les inférieurs les gens bien élevés ».

● *(1) T. I, p. 171.* ● *(2) T. I, p. 548.* ● *(3) T. II, p. 427 et 428.*

Parfois, cependant, si bien élevées soient-elles, les altesses manquent
de mesure et de tact comme le prouve la scène burlesque de Balbec.
S'étant fait présenter le narrateur et sa grand-mère, la princesse
de Luxembourg, dans son désir de ne pas avoir l'air de siéger dans
une sphère supérieure à celle de ses interlocuteurs, « imprègne ses
regards d'une telle bonté qu'ils voient approcher le moment où
elle les flatterait de la main comme deux bêtes sympathiques qui
eussent passé la tête vers elle, à travers un grillage, au jardin d'Accli-

« Après le dîner »

matation ». Au reste, cette « démagogie » lui inspire un geste stu-
péfiant, puisqu'elle « achète à un marchand ambulant un pain de
seigle, du genre de ceux qu'on jette aux canards » et le tend au jeune
homme en lui disant : « C'est pour votre grand-mère ». Nul mépris
là-dedans; nulle intention de blesser : pure inconscience, ou plutôt
pure bonne conscience. Et si l'on descend à l'échelon suivant, à
l'étage des Guermantes, par exemple, l'attitude est voisine, ainsi
qu'en témoigne le salut du duc, serrant longuement la main de
celui qu'il veut honorer, « comme s'il lui faisait cadeau de sa précieuse personne ».

A cet étage, celui du « gratin », qui paraît un Olympe inaccessible quand on est un Legrandin, une sorte de club privilégié dont tous les membres se valent, il existe au contraire de subtiles inégalités, subtiles mais irrémédiables.

Oriane de Guermantes domine, règne sur sa « coterie ». Elle peut, si l'envie lui en prend, élever jusqu'à elle ceux qu'elle distingue, même s'ils ne sont point, à l'origine, de son monde, comme c'est le cas de Swann ou celui du narrateur. Elle se moque des préjugés puisque c'est elle « qui confère *la valeur mondaine* ». Mais ces exceptions ne l'empêchent pas d'obéir à certaines traditions. Parce qu'il est de bon ton et d'usage, chez les Guermantes, de « snober » la noblesse d'Empire, elle parle des Iéna en feignant d'ignorer ces gens « qui ont un nom de pont ». Plus tard, néanmoins, parce qu'elle est *vraiment* snob, et donc soumise aux caprices de la mode, elle vantera cette famille « qui possède de si beaux meubles », et en fera grand cas pour la simple raison qu'elle trouve cela drôle, et que son bon plaisir est loi dans son milieu. Son beau-frère, le baron de Charlus, plus strict quant à la naissance (en somme moins snob dans son snobisme héraldique, lequel ne souffre aucune faiblesse), refuse énergiquement pour sa part de reconnaître la princesse d'Iéna, affectant de croire qu'il s'agit d'une pauvresse qui a pris « pittoresquement ce titre, comme on dit la Panthère des Batignolles ou le Roi de l'Acier » (1).

C'est à sa famille, à ses pairs que Mme de Guermantes réserve sa férocité. Ses oukases sont aussi définitifs qu'irrationnels. Ainsi, la malheureuse marquise de Gallardon, si fière de son alliance avec les Guermantes, ne peut réussir à l'attirer chez elle, Oriane la tenant un peu « à l'écart peut-être parce qu'elle était ennuyeuse, ou parce qu'elle était méchante, ou parce qu'elle était d'une branche inférieure, ou peut-être sans aucune raison ». Pour se consoler de ces camouflets, la pauvre négligée murmure « Ce n'est tout de même pas à moi à faire les premiers pas, j'ai vingt ans de plus qu'elle », laissant supposer que seule une question de protocole est à l'origine de cette absence.

●*(1) T. II, p. 564.*

Si Oriane « condescend » à rendre visite à Mme de Sainte-Euverte, autre affolée de snobisme, elle adopte une attitude d'excessive modestie, effaçant les épaules, « restant exprès dans le fond du salon, comme un roi qui fait la queue à la porte d'un théâtre tant que les autorités n'ont pas été prévenues qu'il est là » (1).

Le plus souvent, la duchesse n'en fait qu'à sa tête, abolissant si cela lui chante ses propres édits, se prenant d'amitié pour Mme de Cambremer, sœur de Legrandin, après l'avoir accablée de sar-

« Insectes singuliers »

casmes et d'avanies, se montrant soudain fort polie avec la cousine Gallardon, et considérant sa versatilité comme une manifestation de son autocratisme, comme un effet de la désinvolture bien connue de « l'esprit des Guermantes ». Piètre esprit, en vérité, si l'on y prend garde : rosseries faciles, calembredaines, bêtises, mais exaltées, transformées par la ferveur de ses admirateurs, si ravis d'être admis dans ce cénacle que tout — même les pauvres mots d'Oriane — leur paraît merveilleusement spirituel. Cependant, sur la fin de sa vie, la duchesse, qui a reçu trop de monde sans discernement — et des gens qu'elle n'aurait pas voulu saluer en d'autres temps — voit son salon décliner. Elle ne s'en doute pas, puisqu'elle reste persuadée « que sa position est inébranlable ». Mais les jeunes gens qui n'ont pas connu sa grande époque évitent d'aller chez elle, croyant que c'est « une Guermantes d'une moins bonne cuvée, d'une moins bonne année, une Guermantes déclassée »... Juste retour de bâton.

A l'inverse, sa tante de Villeparisis, méprisée, en dépit de sa haute

●(1) T. I, p. 229 et 230.

naissance, à cause de ses écarts de conduite, prendra une revanche posthume. Alors qu'elle a de terribles difficultés à remplir son salon, peuplé d'obscurs érudits, de bourgeois vaniteux, de quelques aristocrates — dont Oriane — venue là « en passant », par devoir familial, et qu'elle dispute âprement à ses amies et rivales de rares vedettes, elle n'a aucune peine à écrire ses *Mémoires*. Ainsi, à travers son témoignage, les générations futures se feront une idée (fausse) de la vie mondaine de son temps, lui réservant tout naturellement dans leur esprit une place prépondérante qu'elle n'a jamais occupée de son vivant. Autre forme de snobisme, plus retors. Ce n'est plus l'attaque directe, c'est la bombe à retardement.

Le cas Charlus — dernier Guermantes dont nous examinerons ici le particulier snobisme — est complexe. Le baron Palamède de Charlus, « duc de Brabant, damoiseau de Montargis, prince d'Oloron, de Carency, de Viareggio et des Dunes » — dit Mémé pour ses intimes, comme Hannibal de Bréauté est Babal, et Montesquiou, Quiou-Quiou —, vit dans un monde imaginaire. Tel Saint-Simon, il « croit » aux vertus de ses privilèges, comme s'ils existaient encore. Ses exclusives hautaines, son intransigeance en matière de noblesse ressemble davantage au délire d'un fou qu'au snobisme. C'est un Don Quichotte de la particule, égaré dans son siècle. Mais, dans ses rares moments de lucidité, entre deux crises de rages outrées jusqu'à la caricature, il commence « à faire la part du feu, à baisser, comme on dit, ses prix ». Il y est obligé d'autant plus que deux passions le divisent : sa soif de sang bleu et son penchant pour des jeunes gens qui ne sont pas toujours du meilleur monde. Au reste, incapable de modération durable, il tombe d'un excès dans l'autre et verse dans « le snobisme de la canaille », ne trouvant alors « personne frisant assez l'apache »... De même M. Legrandin, quand il a enfin conquis la situation mondaine dont il rêvait, cesse d'en profiter. Partageant les goûts du baron, « le moins naturel de ses vices, le snobisme, cédait la place à un autre, moins factice, puisqu'il marquait du moins une sorte de retour, même détourné, vers la nature ». Notons « en passant », comme dit Oriane, que Proust assimile le snobisme à un vice, détail qui n'est pas indifférent.

C onsidérons à présent le snobisme *offensif*, c'est-à-dire celui des non-nobles, des non-nés. Nous assistons à un assaut lent mais régulier comme celui des vagues sapant une falaise, pour investir le bastion de l'aristocratie. Tous les coups sont permis; une seule règle : réussir, parvenir. Si l'on passe en revue les personnages qui appartiennent à cette catégorie, on les voit souvent changer de nom, abandonner leur vieille peau roturière, infamante, pour endosser un beau déguisement tout neuf. Bloch devient Jacques du Rozier, Mlle Legrandin est marquise de Cambremer, la nièce de Jupien le giletier, Marie-Antoinette, se transforme en Mlle d'Oloron par la grâce de Charlus, Odette Swann épouse M. de Forcheville et sa fille Gilberte, adoptée par son beau-père, devient Mme de Saint-Loup, Legrandin lui-même se décore du titre de comte de Méséglise et Mme Verdurin se métamorphose successivement en duchesse de Duras puis en princesse de Guermantes.

Ce genre d'élévations ne se produisent pas en un jour. Les trois mille pages de *la Recherche* suffisent à peine pour suivre les différentes phases de cette stratégie ondoyante, qui a ses arrêts, ses replis, ses brusques voltes, ses mouvements tournants, ses ruses. L'histoire de Mme Verdurin en est un bon exemple.

Au début, du temps de la passion de Swann pour Odette, Mme Verdurin et ses « fidèles », Cottard, Saniette, Brichot, pratiquaient un auto-snobisme, une sorte de narcissisme collectif, et « la patronne » qualifiait les mondains d' « ennuyeux ». Son époux allait même jusqu'à ignorer complètement la hiérarchie nobiliaire, et confondait les titres avec des « grades ». En réalité, dès l'origine, « Mme Verdurin se proposait bien *le monde* comme objectif » (1), mais nul ne s'en doutait. Les grands capitaines savent tenir secrets, aussi longtemps qu'il convient, leurs plans d'attaque... Peu à peu, cependant, les Verdurin amorcent « vers le monde une évolution timide, ralentie par l'affaire Dreyfus, accélérée par la musique « nouvelle », évolution d'ailleurs démentie par eux et qu'ils continuent de démentir jusqu'à ce qu'elle ait abouti ». Le monde, de son côté, « étant tout préparé à aller vers eux », ils finissent par se rencontrer

●|(1) T. I, p. 601.

à mi-chemin. Une certaine duchesse de Caprarola s'aventure chez eux; d'autres suivent. Désormais le mouvement est irréversible, irrésistible. Bientôt le nombre des « ennuyeux » diminue singulièrement pour Mme Verdurin, et son habile utilisation du prestige de Charlus, son exploitation des Ballets Russes, l'excellence de ses dîners font d'elle, avec le temps qu'elle n'a pas perdu, une « reine du Paris de la guerre ». Son mariage avec le prince de Guermantes, enfin, couronne cette splendide « carrière ».

Dans ce milieu, où l'on ne peut pas — et pour cause — se gargariser de généalogies, la culture et l'art servent de liens, de signes de reconnaissance. Au lieu de recourir à la franc-maçonnerie du cousinage, on se sert de la sonate de Vinteuil comme d'un mot de passe. Il est entendu, une fois pour toutes, qu'on admire le peintre Elstir, qu'on s'accorde à dénigrer ceux qui ne font pas partie du « clan », que chaque « fidèle » est spirituel comme quatre, et que tous vibrent au plus profond d'eux-mêmes en écoutant la « bonne musique ». Mais, chez Mme Verdurin, tout est signe, code. Elle ne rit pas vraiment, elle « fait signe » qu'elle rit. S'égayant des « fumisteries » de ses fidèles, au moindre mot d'un habitué, « elle pousse un petit cri », ferme entièrement « ses yeux d'oiseau » et brusquement, « plongeant sa figure dans ses mains », elle a l'air de « s'efforcer de respirer, d'anéantir un rire qui, si elle s'y fût abandonnée, l'eût conduite à l'évanouissement » (1)... De même, en écoutant la musique, Mme Verdurin « n'exprime jamais les émotions artistiques d'une façon morale, mais physique », pour qu'elles semblent « plus inévitables et profondes ». Et comme elle ne peut entendre du Vinteuil sans pleurer, et que ces crises de larmes émues lui fichent des « rhumes à tout casser », elle se graisse le nez de rhinogoménol avant que la musique ne commence. « Sans cela, ajoute-t-elle, je n'aurais pu continuer à écouter du Vinteuil. Je ne faisais plus que tomber d'une bronchite à l'autre. » (2)

Pour sa part, Mme de Cambremer, dépourvue d'aïeux décoratifs, se rabat sur la peinture et l'opéra. Peu lui importe l'œuvre qu'elle feint d'admirer; c'est l'accent qui compte. Elle vante Vermeer et

●(1) T. I, p. 205. ● (2) T. III, p. 241.

Debussy, parce qu'elle se croit « avancée » en art. Il suffit cependant qu'on lui révèle la beauté de Poussin, « qu'admire Degas », pour qu'elle batte aussitôt en retraite et déclare humblement, prudemment, hypocritement aussi, comme si elle allait se précipiter au Louvre avant de se déjuger : « Il faudra que je les revoie. Tout cela est ancien dans ma tête. » (1)

Dans ce monde mutant, à cheval sur deux classes, on se crée des valeurs, tout aussi artificielles que celles de l'aristocratie. Seuls comptent les attitudes, les gestes. Le rire mimé de Mme Verdurin répond aux saluts plus ou moins calculés de Charlus ou d'Oriane. Tout est virtuel, vain, vide.

Il existe d'autres moyens de forcer les portes du « noble faubourg », en particulier la galanterie. Odette et Morel, le violoniste protégé par Charlus, la première avec une espèce d'inconscience tranquille, et le second avec un cynisme plus ou moins raisonné, en sont des exemples. C'est ce genre de méthode, qui frappe généralement, puisque celle-ci n'est pas « abstraite » ni invisible comme le snobisme « stratégique ». La bonne bourgeoisie, forte de sa vertu traditionnelle, méprise particulièrement ces arrivistes amoraux. Dans ce conflit entre les parvenus et les aristocrates, la bourgeoisie selon Proust joue le rôle de la neutralité armée. Fière et satisfaite de sa place dans la société, elle n'aspire à rien d'autre qu'à demeurer ce qu'elle est. Son snobisme, celui de la caste et de l'immobilisme social, se manifeste par la méfiance, comme on l'a vu plus haut avec la grand-mère du narrateur.

Les dames de Combray, ayant appris le second mariage de Mme Verdurin — une bourgeoise qui a trahi — « disent en ricanant « la duchesse de Duras », comme si c'eût été un rôle que Mme Verdurin eût tenu au théâtre ».

En villégiature à Balbec, des bourgeoises, femmes d'un notaire, d'un bâtonnier et d'un premier président, exercent aux dépens de

● (1) T. II, p. 813.

Mme de Villeparisis et de Mme de Luxembourg leur soupçonneux talent. Ces dames trouvent ridicule que Mme de Villeparisis se déplace « avec tout son train de maison »; ce luxe tapageur leur paraît de si mauvais aloi qu'elles n'hésitent pas à se gausser de « la prétendue marquise ». Quant à la princesse de Luxembourg, comment croire à l'authenticité de son titre, « puisque c'est une femme aux cheveux jaunes, avec un pied de rouge sur la figure, une voiture qui sent l'horizontale d'une lieue, comme n'en ont que ces demoiselles », et qui se promène, par-dessus le marché, escortée d'un négrillon vêtu de satin rouge! C'est bien simple, concluent ces dignes matrones, il s'agit sans doute d'une cocotte qui a choisi ce « nom de guerre », et les deux amies sont « des drôlesses, de l'espèce dont on se gare difficilement dans les villes d'eaux » (1). Point de salut hors de son milieu; c'est la règle d'or de la bourgeoisie. Tout transfuge, qu'il épouse une duchesse ou une femme de charge, se déclasse, s'abaisse au rang d'un intrigant. Le mépris est sa punition : on ne le voit plus, on l'ignore.

Assez curieusement, les domestiques, rouages importants de la mécanique proustienne, soit qu'ils apportent, comme Françoise ou Céleste Albaret, un élément comique, une mine de « cuirs » et d'inexplicables préjugés, soit qu'ils servent, comme le giletier Jupien ou le maître d'hôtel Aimé, d'intermédiaires, de messagers, d'entremetteurs ou même de complaisants partenaires de débauche; tous ces domestiques incarnent le conservatisme, voire la réaction. Plus encore que les bourgeois — peut-être parce qu'ils se tiennent à l'écart des conspirations mondaines et possèdent plus que d'autres, par profession, le sens de la dignité — ils ont aussi à leur manière l'esprit de caste. Ombres des maîtres, ils les singent avec le sérieux, la foi des prêtres, conscients de représenter Dieu sur la terre. Un peuple de chasseurs, de chauffeurs, de concierges, d'huissiers, de valets de chambre et de pied, de garçons, de cochers, de jardiniers, de liftiers, de maîtres d'hôtel, respectent solennellement les rites mondains, en figurants effacés mais indispensables à la majesté des cérémonies, comme les diacres et les sous-diacres

●(1) T. I, p. 703.

qui garnissent les stalles du chœur, les jours de grand-messe. A la soirée de Mme de Sainte-Euverte, Swann observe leur ballet minutieusement réglé, et s'en émerveille comme d'une suite de tableaux. Il les compare à « une meute éparse, magnifique et désœuvrée de lévriers aux nobles profils aigus » (1). Ils sont un « signe extérieur de richesse », ils le savent et en jouissent comme s'ils étaient leur propre patron. Ils disent « nous » à la façon des rois et se sentent plus intimement liés à la famille qu'ils servent que s'ils étaient du même sang qu'elle. A l'exemple de leurs maîtres — ou pour se « défouler » — ils terrorisent les filles de cuisine et les marmitons qui se trouvent sous leurs ordres, ou se plaisent à « snober » leur parentèle campagnarde, ainsi qu'en témoigne l'admirable lettre de Joseph Périgot, le jeune valet de pied favori de Françoise, qui fréquente la duchesse de Guermantes, « des personnes que tu as jamais entendu même le nom dans nos ignorants pays » (2)...

S'il subsistait un doute sur les intentions violemment satiriques de Marcel Proust, contempteur de la société qu'il « décrie », une scène, une seule, suffirait à l'effacer. On la trouve à la fin de la première partie *Du côté de Guermantes*, au centre de *la Recherche*, dont elle est peut-être, secrètement, le pivot. On y voit la tenancière du « chalet de nécessité » des Champs-Élysées, baptisée « la marquise » par Françoise, « renvoyer une femme mal vêtue », parce qu'elle « ne fait pas partie de son monde ». Avec « une férocité de snob », elle lui dit sèchement : « Il n'y a rien de libre, Madame. » Condamnation sans rémission, calque des oukases de Charlus et d'Oriane, au niveau de la dérision. Et pour qu'on ne s'y trompe point, l'auteur fait dire à sa grand-mère : « J'ai entendu toute la conversation de *la marquise*. C'était on ne peut plus Guermantes et noyau Verdurin. » (3)

Gilles Deleuze estime que l'ouvrage de Proust est un « apprentissage », au sens initiatique du mot (on dit, par exemple, un « apprenti » sorcier). En avançant dans la connaissance du monde, le narrateur apprend à déchiffrer, à interpréter tous ces

● *(1) T. I, p. 323.* ● *(2) T. II, p. 566, 567.* ● *(3) T. II, p. 312.*

signes analogues à des hiéroglyphes, par lesquels se manifestent le snobisme, ou plutôt les snobismes. Et chaque progrès dans cette connaissance est une désillusion de plus. Entre le moment où le petit garçon de Combray fabule sur la magie du nom de Guermantes, et celui où l'observateur du *Temps retrouvé* contemple avec une sorte d'épouvante ces héros vieillis, déchus, dépouillés de leur mystère et de leur prestige, il s'est écoulé des années. Des années de déceptions car il s'est aperçu, comme le dit Jean-François Revel,

que « le snobisme, intransigeant en apparence, comme s'il n'était attentif qu'aux valeurs permanentes, est en fait esclave des fluctuations de la fortune, des situations, de la célébrité, se condamnant ainsi à s'infliger à lui-même de perpétuels démentis ». Chemin faisant, il a également constaté que chaque coterie gardait farouchement « un trésor inexistant ». *La Recherche du Temps perdu* est donc une découverte de l'incertitude et du néant dans les rapports sociaux. Tout y est simulacre. Et le génie comique de Proust tient précisément à ce qu'il réussit à fixer,

« La vieille aux masques »

sans commentaires, par le seul moyen d'une analyse au microscope, les mimiques, les jeux de scène, les dialogues de cette gigantesque farce. Il est incontestable qu'il les trouve drôles, et qu'il s'en amuse en nous amusant. Bien plus encore que celle de Balzac, l'œuvre de Proust mériterait le titre de *Comédie humaine*. Mais il ne faut évidemment pas s'y tromper. Si Proust est le premier romancier à s'être penché avec cette espèce de frénésie sur un comportement considéré jusqu'alors comme futile, ce n'est pas seulement pour s'en moquer. Sous la satire on ne peut ignorer des ambitions plus vastes. On risque, bien sûr, de se laisser abuser par la quantité prodigieuse de personnages titrés, et de ne voir ici qu'une étude de mœurs réduite à la seule aristocratie, dont l'importance a singulièrement décru depuis le début de ce siècle. Nous avons vu qu'en réalité, Proust avait également décelé et étudié les manifestations du snobisme dans les autres classes de la société. Aristocratie ou pas, il importe peu, puisque l'essence du snobisme est tout à fait indépendante de ceux qui le pratiquent. Les nobles ne sont si nombreux que pour la commodité de la démonstration. Certes, *la Recherche* étant assez précisément située à une époque donnée, on peut y voir aussi une âpre critique sociale — et c'en est une sans doute — un démolissage en règle de l'économie capitaliste française entre 1890 et 1920, une condamnation des privilèges dont jouissait encore une caste indigne de les exercer. On a même pu parler d'une « politique » de Proust. Pourquoi pas ? Mais ce serait ramener son œuvre au rang d'un ouvrage de circonstance, daté. Sa portée est tout autre.

Proust aime à tirer des lois des moindres détails qu'il relève, et s'il était possible de comparer un auteur aussi unique en son genre, à quelque classique, c'est de La Bruyère qu'il faudrait le rapprocher. Autant qu'un romancier, c'est un moraliste. Ainsi qu'il le laisse entendre, à propos de Legrandin, il considère le snobisme comme un *vice* — c'est-à-dire une passion que l'on ne peut contenir — au même titre que l'inversion de Charlus ou la jalousie maniaque de Swann et du narrateur lui-même.

Un vice ouvre sur une aventure grave, dont on ne peut s'amuser toujours. C'est pourquoi, derrière le comique, on perçoit une amertume savamment graduée. Car enfin, au terme de ce voyage à travers le vide, que reste-t-il de tant d'efforts, d'agitations, d'espoirs ? Rien. Dans un univers absolument abandonné, tel que le conçoit Proust, un monde sans Dieu, sans foi, où seul l'art peut sauver quelques élus, l'existence de la plupart est bien « du temps perdu », qui ne sera jamais « retrouvé ». Ce qui prêtait à la caricature, tant qu'on était soi-même jeune, tourne au tragique, si on ne l'est plus.

A l'ultime soirée chez la princesse de Guermantes, les figurants se sont « fait une tête, généralement poudrée qui les change com-

plètement » (1). Ils tentent d'esquisser encore quelques entre-
chats, d'une navrante maladresse. Mécaniquement, avec l'énergie
du désespoir ou le courage de l'inconscience, ils « imposent à leur
existence agonisante les fatigues surhumaines de la vie ». Mais
le cœur n'y est plus, les jambes flageolent, les forces manquent, les
maquillages fondent, le rimmel coule... *Finita la comedia!* Ce n'est
plus le moment de rire.

M. G.

● *(1) T. III, p. 921.*

Swann
du
côté de Guermantes

Le regard d'un penseur et d'un moraliste contrastant avec la nonchalance d'un jeune mondain en conversation : cette image définit parfaitement l'attitude de Marcel Proust à l'époque où s'élabore secrètement son monumental chef-d'œuvre. Certes, la société le fascine mais le snobisme ne l'aveugle pas. Les plus brillants salons deviennent vite des laboratoires où, avec une patience et une minutie d'entomologiste, il analyse et classe les divers types qu'il rencontre. Observation attentive des mœurs de son entourage, mise à nu des rouages de cette complexe mécanique : au terme de son apparent désœuvrement, la matière est prête à prendre forme.

Les rendez-vous parisiens de la haute société...

Le bois de Boulogne : « Le Chalet du cycle »

Les courses

Le cercle, par Béraud

Quatre occupations qui confèrent l'indispensable brevet d'élégance : le thé au bois de Boulogne, où les sportsmen d'avant-garde s'initient à l'art du cyclisme; les Courses (Prix de Diane, Grand Prix ou Journée des Drags) qui tiennent davantage de la présentation de mode que de la rencontre hippique; le cercle auquel tout « homme du monde » se doit d'appartenir, dût-il y perdre une fortune; la réception où l'on peut, sur chaque visage, poser un nom vieux de quelques siècles ou consacré par une récente mais incontestable notoriété. Le Tout-Paris forme une grande famille avec ses rites et ses temples : les salons de Mme Arman de Caillavet, de Mme Straus, de la princesse Murat, de la comtesse Greffulhe; des restaurants comme Voisin, Paillard, Maxim's; des cafés comme Le Fouquet's, le Chatam. Lorsque sa santé le lui permet, Marcel Proust, vêtu hiver comme été de cette lourde redingote devenue légendaire, y paraît fréquemment. Le luxe des toilettes féminines, le raffinement et la subtilité des esprits l'éblouissent. Sa jeunesse, sa beauté, son intelligence séduisent et lui ouvrent toutes les portes de ce monde qu'il a mis tant d'application à conquérir. Enfant chéri des salons, chérubin dont les hôtesses raffolent, il goûte jusqu'à l'ivresse « la poésie du snobisme ». Sans pour autant oublier de noter ses impressions... sur les cartons d'invitation parfois.

La soirée, par Béraud

C'est la grande vogue des croisières. Marcel Proust passe quelques jours en mer, invité par Robert de Billy à bord du yacht des Mirabaud. La côte normande où, enfant, il prenait ses vacances, est le rendez-vous du Tout-Paris. Deauville a supplanté Trouville qui connut jadis les timides émois de Flaubert adolescent. Sur les plages, les duchesses vont au bain en sévères maillots noirs, interrompant leurs ébats nautiques pour contempler les prouesses de l'aviateur Roland Garros. Chaque année, Proust sur les traces des fantômes de son enfance, passe une partie de l'été à Cabourg, à Trouville chez les Finaly ou chez Mme Straus, à Glisolles où le reçoit la duchesse de Clermont-Tonnerre.

Proust sur le yacht des Mirabaud

...ivales ou croisières à bord de yachts luxueux.

Yachting dans l'archipel, par Gervex

Soupirant officiel de quelques femmes à la mode...

La Madeleine et le Marché aux fleurs

Admirateur de la beauté des femmes, sensible à leur charme, Proust recherche leur compagnie. Dans le quartier des restaurants chics près de la Madeleine, on le voit souvent souper avec l'une de ces très jolies femmes auprès desquelles il se montre empressé. Il semble cependant qu'il n'ait eu avec elles d'autres relations que platoniques. Le vif intérêt qu'il affichait ainsi pour le beau sexe était sans doute destiné à masquer d'autres penchants, à épargner à sa mère des révélations dont elle eût beaucoup souffert. Lorsque la belle actrice Louisa de Mornand, qui avait souvent accompagné Marcel dans ses voyages, venait le voir après le spectacle, Mme Proust se retirait discrètement, pour ne pas gêner, pensait-elle, un tête-à-tête d'amoureux.

Louisa de Mornand

...il cache l'essentiel de sa vie.

Agostinelli et Proust en voiture

« Impressions de route en auto-mobile », article publié par « le Figaro », le 19 novembre 1907, évoque les longues promenades de Proust dans le pays normand. Il a engagé un jeune chauffeur de voitures de louage, Alfred Agostinelli, et entreprend avec lui ce qu'il appelait ses « pèlerinages ruskiniens » : cathédrales d'Évreux, de Bayeux, églises de Caen dont les tours inspireront les célèbres clochers de Martinville. A Lisieux, Agostinelli dirige les phares de la voiture sur les sculptures du tympan pour permettre à Proust de mieux les examiner. Entré en 1912 au service de Proust comme secrétaire, Agostinelli restera deux ans « prisonnier » du boulevard Haussmann. Il s'en évadera et sa mort accidentelle en 1914 rendra Marcel « complètement fou de chagrin ».

L'auberge « Guillaume le Conquérant » en Normandie

A travers aristocrates...

La comtesse Greffulhe

Ce n'est pas le véritable château de Guermantes qui servit de modèle à Proust, mais celui de Réveillon, propriété de Madeleine Lemaire. Avant de donner à quelques-uns de ses héros, symboles de la noblesse, ce nom dont la consonance poétique l'enchantait depuis longtemps, Proust s'assura que la lignée des Guermantes était définitivement éteinte. Impérieuse, méprisante, « royale », la duchesse Oriane emprunte la beauté et les riches toilettes de la comtesse Greffulhe, tandis que ses mots d'esprit évoquent plutôt Mme Straus : l'auteur n'affirmait-il pas lui-même qu'il fallait chercher plusieurs « clefs » ?

...et grands bourgeois...

Mme Ménard-Dorian

Si le canotier supplante le haut-de-forme, si les frondaisons remplacent les stucs des salons, la partie de campagne reste un divertissement mondain. Riches bourgeois, les Verdurins raffolent de ces réunions champêtres et, l'été venu, ils « acclimatent » au château de la Raspelière, loué pour la saison, leur clan parisien. Dans le salon de Mme Verdurin, fleurit l'antisnobisme dont les règles draconiennes rappellent irrésistiblement celles du snobisme. Pour cette violente satire des mœurs bourgeoises, Proust s'est inspiré du salon de Mme Ménard-Dorian, mais là encore la « clef » n'est pas unique et l'auteur a dû penser également au cercle de Mme Aubernon.

Proust
au cours d'un déjeuner à la campagne

« Nana », par Manet   Charles Haas avec Mme de Broissia

Swann réunit les caractères de Charles Haas, fils d'un agent de change israélite, de Charles Ephrussi, fondateur de la « Gazette des Beaux-arts », et de
Proust lui-même. La passion de Swann pour Odette, celle du narrateur pour
Gilberte ou Albertine, révèlent la vision proustienne de l'amour. Pure projec-
tion d'un état de notre âme, ce sentiment « n'est provoqué que par le mensonge
et consiste seulement dans le besoin de voir nos souffrances apaisées par l'être
qui nous a fait souffrir ». Servitude et torture, l'amour pour ces « êtres de
fuite » (qu'évoque la « Nana » de Manet) ne survit à la possession que
si, dans le cœur de l'amant, subsiste une inguérissable jalousie.

Sujets interdits à peine abordés par Balzac et Baudelaire, Sodome et Gomorrhe tiennent dans l'œuvre de Proust la place qu'elles occupent en fait
dans la société. Il ose décrire cette « partie réprouvée de la collectivité humaine... comptant des adhérents partout, dans le peuple, dans l'armée, dans
le temple, au bagne, sur le trône », analyser toutes les formes de l'inversion,
ses effets dans la vie privée ou sociale des individus. Charlus, l'homosexuel-
type de « la Recherche », aurait emprunté les mignardises de sa voix, sa
folle susceptibilité, sa morgue insolente au comte Robert de Montesquiou
qui ne pardonna jamais à Proust ce portrait trop ressemblant.

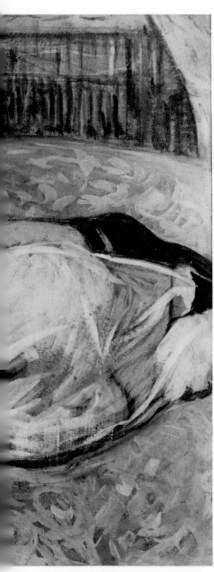

Femmes au lit, par Toulouse-Lautrec   Robert de Montesquiou, par Whistler

Premier cahier du manuscrit
de « Sodome et Gomorrhe »

Sublimation de la vie, le théâtre...

Affiche pour « Lorenzaccio »
interprété par Sarah Bernhardt

Jamais le théâtre n'a connu un tel succès. Sur les colonnes Morriss brillent les noms des plus illustres comédiens : Mounet-Sully, Cécile Sorel, Lucien Guitry, Réjane, Coquelin aîné. On applaudit avec un égal enthousiasme « Œdipe-roi », « Madame Sans Gêne », « Poil de Carotte » et « Boubouroche ». La France entière délire devant « l'Aiglon » où triomphe Sarah Bernhardt, qui, à cinquante-six ans, interprète le rôle du duc de Reichstadt. Avec « Lorenzaccio », elle déchaîne les acclamations et mérite le qualificatif, si prisé à l'époque, de « sublime ». Dès l'adolescence, Proust se passionne pour « le Boulevard » et pour Sarah Bernhardt; on la retrouve immortalisée sous les traits de la Berma que le jeune narrateur de « la Recherche » rêve d'aller entendre. Avec les ballets russes, Paris découvre l'audacieuse chorégraphie de Nijinsky, la musique de Stravinsky, d'Auric et de Poulenc, les décors des fauves et des cubistes. Comme souvent chez Proust, c'est la bourgeoisie qui applaudit aux initiatives révolutionnaires : dans le « petit clan » Verdurin, on porte aux nues le modernisme des ballets russes.

Affiche pour « l'Oiseau de feu »

...et les arts demeurent le seul paradis des élus.

Monet

Saint-Saëns

Anatole France

Aux yeux de Proust, l'art est l'unique source de joie en même temps qu'une victoire sur la mort. Du musicien Vinteuil, il restera au moins la petite phrase de sa sonate (Proust pensait peut-être à la « Sonate en ré mineur » de Saint-Saëns) qui devient pour Swann et Odette « l'air national de leur amour ». Elstir, inspiré à Proust par Monet, continue de vivre à travers ses toiles. On enterre l'écrivain Bergotte, synthèse d'Anatole France, Renan et Proust lui-même, « mais toute la nuit funèbre, aux vitrines éclairées, ses livres dis-posés trois par trois veillaient comme des anges aux ailes éployées et semblaient pour celui qui n'était plus, le symbole de sa résurrection ».

Anatole France

CHAPITRE VI

Bergotte
ou
Proust
et l'écrivain

PAR JOSÉ CABANIS

I l est une manière de s'intéresser aux personnages de roman qui
désole les romanciers : le public cherche des clefs. Le romancier
croit avoir créé un personnage qui lui doit tout. On vient l'assurer
qu'on a reconnu le modèle, qui n'est généralement pas content.
Dans ses illustrations pour *la Recherche du Temps Perdu*, Van Dongen
a fait à Bergotte le visage d'Anatole France.
« Depuis quatre ans je vous ai tant aimé que je crois vous comprendre un peu... Vous m'avez embelli l'univers », écrivait à Anatole France le jeune Proust. Vers sa vingtième année, il le citait
encore comme le premier des écrivains qu'il admirait. Il l'avait
connu dans le salon de Mme de Caillavet. Il lui dédia un conte,
Violante, ou la Mondanité, repris dans *les Plaisirs et les Jours* dont
Anatole France signa la préface. Lors de l'affaire Dreyfus, Proust
découvrit une raison nouvelle d'admirer « le Maître illustre et

bien-aimé » : ils étaient du même bord, et l'écrivain apparemment sceptique menait le bon combat pour la vérité. Dans *Journées de Lecture*, Proust parle de « l'incomparable noblesse » de son œuvre, et juge sa critique littéraire plus clairvoyante que celle de Sainte-Beuve.

En marge d'un manuscrit, Proust nota qu'Anatole France avait trouvé ses premiers essais « parfaits ». Il lui prêta même l'intention de lui proposer sa fille en mariage. Il semble plutôt qu'Anatole France ne le prenait guère au sérieux, le tenant pour un garçon agréable qui lui avait écrit des lettres enthousiastes. « Je ne comprends rien à son œuvre », déclara-t-il un jour à Mme Alphonse Daudet.

Van Dongen a suivi l'opinion commune : « nez rouge en forme de coquille de colimaçon, barbiche noire », on admet que les traits de Bergotte sont ceux d'Anatole France. Quant à son style, on peut y retrouver aussi la manière de Renan, de Ruskin, ou de Barrès. C'est un style « fin de siècle », précieux et raffiné. M. de Norpois, qui n'aime guère Bergotte, le traite de « joueur de flûte ». Bergotte a composé sur *Phèdre* une plaquette, dont on pourrait extraire une litanie : « noblesse plastique, cilice chrétien, pâleur janséniste, princesse de Trézène et de Clèves, drame mycénien, symbole delphique, mythe solaire ». Il use volontiers d'expressions rares, presque archaïques, d'images fuyantes. Il parle du « vain songe de la vie », du « tourment stérile et délicieux de comprendre et d'aimer ». A l'évidence, Bergotte soigne ses adjectifs, et les multiplie, comme tous les décadents. Il est pourtant, assure Bloch, estimé de Leconte de Lisle, et Proust citera en exemple dans *la Prisonnière* « l'art raisonnable et français d'un Bergotte ». On pourrait donc le placer à mi-chemin entre les Parnassiens et les Symbolistes, tenant sans doute des uns et des autres, un peu en marge. Anatole France conviendrait assez bien. Le nom de Bergotte rappelle d'ailleurs celui de M. Bergeret (fondu, peut-être, avec le titre d'un autre roman : *Jocaste*), mais il évoque aussi Bergson, et est presque l'anagramme de celui de Paul Bourget, ami de Mme Straus, comme Proust, romancier mondain qui se croyait psychologue, et moraliste. Or Bergotte se distingue à la fois par une extrême délicatesse

de forme, et un ton moralisateur : il veut exprimer les principes
d'une certaine sagesse, voire toute une philosophie résolument
idéaliste, et assez vague. A cet égard, il rappellerait aussi Maeter-
linck, ou Paul Desjardins. Compagnon de jeunesse de Proust, Robert
Dreyfus écrit dans ses *Souvenirs :* « Les articles de M. Paul Desjardins dans la *Revue Bleue* nous plaisaient par leur forme achevée,
nous attiraient par leur *moralisme.* » Il ne manquait même pas à
Paul Desjardins (et pas davantage à Alphonse Darlu) la petite
barbe de Bergotte. On voit combien pourrait être composite ce
personnage.

Je crois qu'il l'est plus encore qu'on ne l'a dit. Comme le narrateur
du *Temps perdu* aimait Bergotte
sans le connaître, et se trouve
enfin devant lui dans le salon
de Mme Swann, Proust lisait et
aimait les chroniques littéraires
de Jules Lemaitre, quand enfin il
le rencontra. Ce fut sans doute
dans le salon de Mme Straus.
Un texte écrit à 17 ans, et destiné à une petite revue de lycéens,
commémore cet événement :
« Vu Jules Lemaitre pour la
première fois. Jolie tête de jeune
taureau, face de faune... » La
surprise est la même que celle
du narrateur, quand il verra
Bergotte *pour la première fois* (1),
et s'étonnera de son aspect.

Jules Lemaitre

« Homme jeune, rude, petit, râblé, corps trapu, petit homme
à nez camus » : on reconnaît le jeune taureau et la face de faune.
Ce n'est pas tout : à peine Proust lui fut-il présenté, Lemaitre
parla théâtre, comme Bergotte de la Berma.

Jules Lemaitre avait rassemblé ses chroniques dans une série de

●*(1) L'italique dans tout le chapitre est notre fait.*

livres, célèbres en leur temps, *les Contemporains*. Je viens de les relire. Le deuxième volume contient une étude sur Anatole France. Nous savons que Bergotte, quand il voulait faire l'éloge d'un style, disait qu'il était « doux ». Ce qualificatif revenait obstinément dans ses propos. Il voulait n'écrire lui-même que des pages « dont il pût dire : C'est doux. » Or Jules Lemaitre, à propos de Sylvestre Bonnard, insiste sur cette douceur : « Une ironie très douce... Sylvestre Bonnard devait aimer aussi les créatures qui sont douces... C'est M. Anatole France lui-même tel qu'il voudrait être, tel qu'il sera ; très réfléchi, très ironique, très doux... Comme il arrive aux âmes

Sarah Bernhardt

bien situées, il sortit de cette longue crise plus doux... » Jules Lemaitre cite Anatole France, et rapporte, presque identiques, les expressions choisies par Proust pour évoquer le style de Bergotte : « Le songe de la vie... Tourments délicieux... » Anatole France, remarque Jules Lemaitre, fut toujours soucieux « de combiner exactement de beaux mots qui suscitent de belles images », et Proust parlant de Bergotte : « C'était surtout un homme qui au fond n'aimait vraiment que certaines images, que les composer et les peindre sous les mots. » On peut donc supposer que si Jules Lemaitre a servi pour le personnage de Bergotte, celui-ci fut en même temps Anatole France, mais vu, et interprété, par Jules Lemaitre.

J'ai continué la lecture de ce volume des *Contemporains*, qui me réservait une autre surprise : un article sur Sarah Bernhardt. Jules Lemaitre parle de la diction singulière de cette artiste. « Tantôt elle déroule des phrases et des tirades entières sur une seule note, sans une inflexion, prenant certaines phrases à l'octave supérieure...

D'autres fois, tout en gardant le même ton, la magicienne martelle son débit, passe certaines syllabes au laminoir de ses dents, et les mots tombent les uns sur les autres comme des pièces d'or. A certains moments, ils se précipitent d'un tel train qu'on n'entend plus que leur bruit sans en concevoir le sens. Cette diction monotone... » C'est la diction même de Bergotte, qui étonne, enchante, ou lasse. Il prononçait, nous dit-on, avec affectation certains mots, d'autres avec emphase, détachant certaines syllabes, jouant avec les sons, « psalmodiant certains mots, les filant sans intervalle comme un même son, avec une fatigante monotonie »; il mettait « quelque chose de brusque et de rauque dans les derniers mots d'une phrase gaie, quelque chose d'affaibli et d'expirant à la fin d'une phrase triste... » Qui aurait écouté Bergotte sans connaître vraiment ses livres, aurait été frappé, et déçu, par ce « débit prétentieux, emphatique et monotone » : celui que Jules Lemaitre prête à Sarah Bernhardt. Il n'est pas interdit de penser que Proust avait à portée de la main ce deuxième volume des *Contemporains*, et qu'il s'en est inspiré si directement, et d'une manière si subtile, qu'il a été jusqu'à donner à Bergotte la diction de Sarah Bernhardt, qui serait elle-même la Berma, mais telle que l'avait entendue et traduite Jules Lemaitre, lui-même en partie Bergotte. On ne peut imaginer genèse plus proustienne pour un personnage.

C'est Bloch qui, le premier, avait parlé de Bergotte au narrateur de *la Recherche du Temps perdu*, et lui avait fait lire ses livres. Bergotte commence à exister dans l'imagination d'un adolescent amoureux de la lecture, mais comme un « double idéal » qu'il façonne à son gré, à partir d'une phrase qui l'a ému, d'une image, d'un mot. Tout amour chez Proust naît d'un prestige lointain, généralement illusoire. Le narrateur devient amoureux de Gilberte Swann parce qu'elle connaît Bergotte, et se promène avec lui. Il se représente de même Bergotte comme « un doux chantre aux cheveux blancs », un « divin vieillard », ce qui est faux, mais il lit ses livres, qui l'enchantent et sont une réalité incontestable.

L'erreur est ici qu'il les lit mal, séduit d'abord par leur sujet, les aventures qu'ils racontent. Sans doute, de page en page, est-il ensuite sensible à une musique qu'il n'avait jamais entendue. Mais c'est pour retomber dans l'erreur : tant de poésie et de douceur révèlent « un vieillard faible et déçu qui avait perdu des enfants et ne s'était jamais consolé ».

M. de Norpois voudrait détromper le narrateur. Mais ce diplomate est un homme du monde, deux raisons pour discourir sans rien dire, et passer avec art à côté du sujet. Ses goûts littéraires en font un juge peu convaincant. Il met très haut un opuscule « sur le fusil à répétition dans l'armée bulgare, conduit d'une plume alerte ». S'il estime donc l'art de Bergotte « bien mièvre, bien mince, bien peu viril », incapable de donner « un roman d'une envolée un peu haute », ou de « nouer une intrigue et d'élever les cœurs », l'admiration du narrateur n'en est pas atteinte.

Chez Mme Swann, il voit Bergotte. Ce n'est pas un doux vieillard, mais un petit homme jeune, assez laid, et qui porte barbiche. « Tout le Bergotte que j'avais lentement et délicatement élaboré moi-même, goutte à goutte, comme une stalactite, avec la transparente beauté de ses livres » s'effondra. Sortant de chez Mme Swann avec le narrateur, Bergotte parle avec malveillance de ses hôtes, pour lesquels il venait de feindre tant d'amitié. Ce chantre de la vérité et de l'innocence fréquente donc les gens du monde, et les méprise, de même qu'il affecte la déférence pour des écrivains médiocres, car il songe à l'Académie. Le narrateur avait imaginé le poète, et voit l'homme. On prétend même que Bergotte aurait à se reprocher une « certaine indélicatesse en matière d'argent ». Sa vie privée scandalise. Le père du narrateur, bourgeois pondéré, laisse entendre que Bergotte mène une existence « peu honorable ». M. de Norpois n'hésite pas à parler de « cynisme », et « d'ignominie ». Proust paraît avoir varié — mais n'oublions pas que son livre est matériellement inachevé — sur la nature des horreurs qu'on prête à Bergotte. Celui-ci aurait agi « cruellement » avec sa femme, et voyage à l'étranger avec *une compagne*, ce qui est évidemment très laid, mais non déshonorant. Ailleurs, il s'agirait d'un amour « à demi incestueux », ou d'un commerce coupable avec « des fillettes ». Il y aurait dans les mœurs de Bergotte une tare sans doute mal définie, mais suffisante pour qu'on dise : « C'est un malade. »

Héros de Balzac en cela, plus Bergotte vieillit, plus l'amour lui coûte cher. Il s'en console : « Je dépense, dit-il, plus que des multimillionnaires pour des fillettes, mais les plaisirs ou les déceptions qu'elles me donnent me font écrire un livre qui me rapporte de l'argent. » Sincère ou pas, le calcul manque d'élégance. Sa gloire augmente avec l'âge, et son talent décline. Il ne trouve plus à écrire la joie de jadis, et en est réduit à se persuader qu'il n'est pas « inutile à son pays ». Le narrateur l'admire moins, et comme tout arrive trop tard chez Proust, c'est alors que Bergotte devient familier de sa maison. Sa parole commence à s'embarrasser, sa vue se trouble, il bronche dans l'escalier, mais pour échapper à la solitude il rend visite au narrateur, dont la grand-mère est malade, et va mourir. Bergotte s'assied près du lit, plusieurs heures chaque jour, sans un mot, car il n'a plus rien à dire. Il se résigne à consulter des médecins, écoute leurs avis contradictoires, et suit des régimes qui paraissent lui rendre quelques forces : il retourne chez Mme Swann, qui se pare de la renommée du vieil homme, et passe pour avoir collaboré à ses œuvres. Les dernières seront d'ailleurs des saynètes dérisoires, jouées dans les salons. Pendant des années, Bergotte ne sort plus, retiré de la vie, agité la nuit par des cauchemars qui préfigurent sa mort, grelottant de froid, enveloppé de châles et de plaids, et n'écrit plus. Ses amis l'oublient. Si le narrateur le visite une fois, c'est qu'Albertine était curieuse de le connaître. Bergotte se traîne enfin jusqu'à une exposition de Vermeer. Devant la « Vue de Delft » la mort l'attendait, et le fait rouler à terre, tandis qu'accourent visiteurs et gardiens. Ce sera le fait divers du jour.

Raconter la vie d'un personnage de roman, esquisser son visage, marquer sa destinée, sa fin, bref ce que j'ai fait pour Bergotte, est peut-être une entreprise aussi vaine que d'en chercher les *clefs*. Chez Proust, en tout cas, un personnage vaut par ce qu'il signifie. Parmi bien des calembredaines (c'est un de ses mots), M. de Norpois rapporte cette opinion d'un homme d'esprit, dont il tait le nom, « qui prétendait qu'on ne doit connaître les écrivains que par leurs livres ». C'était le thème du *Contre Sainte-Beuve*. Proust fait exprimer, cette fois, une idée qui lui est chère par quelqu'un qui ne lui ressemble en rien.

Le vrai Bergotte est dans ses livres. Il parle d'une façon affectée et lassante, parce qu'il ne cesse de songer à eux, et au pouvoir évocateur et magique des mots dont il fait, dans sa conversation, un premier essai. Les propos de Bergotte ne sont pas la suite, ou l'écho, ou la traduction imparfaite de ses livres : ils les précèdent. Ce sont des exercices de style. Aussi paraît-il à ses interlocuteurs constamment *désaccordé*. Dans ce qu'il écrira, s'il usera des mêmes mots, des mêmes tours, peut-être des mêmes artifices, il y aura bien davantage : une mélodie qui vient « des grandes profondeurs », qui est au-delà des mots et les anime, comme un « chant de harpes ». « Dès que je lisais un auteur, raconte Proust, je distinguais bien vite sous les paroles l'air de la chanson, qui en chaque auteur est différent de ce qu'il est chez tous les autres... » C'est « l'air de la chanson » qui est sublime, dans les livres de Bergotte, mais s'il veut plaire à quelques dames du monde qui l'écoutent, on ne peut guère que deviner cet air, à la fois proche et absent.

L'écrivain Bergotte n'est donc pas celui qu'on rencontre chez Odette de Crécy, ou que Mme Verdurin voudrait attirer chez elle. Ses œuvres sont d'un homme que personne ne voit ni ne connaît. Leur source est dans le « moi profond qu'on ne retrouve qu'en faisant abstraction des autres et du moi qui connaît les autres, le moi qui a attendu pendant qu'on était avec les autres, qu'on sent bien le seul réel... » Un des griefs de Proust à l'égard de Sainte-Beuve est qu'il replaçait tout écrivain dans une société, songeant lui-même à ses propres lecteurs quand il écrivait, à Mme de Boigne qui lirait son article, au petit matin, dans son lit à colonnes : la littérature n'est pas une affaire de *bonne compagnie*. Comprendre un auteur, c'est le rejoindre dans sa solitude. Il le répétera dans *Le Temps retrouvé* : « Les vrais livres doivent être les enfants non du grand jour et de la causerie, mais de l'obscurité et du silence. » Dès la parution de *Du côté de chez Swann*, il l'avait dit dans une interview : tout écrivain doit « passer de la vie de société à la vie de solitude ». C'est là que Bergotte secrète sa vraie musique. Son appa-

rence sociale n'est donc rien, et la médiocrité des gens qu'il fréquente
ne témoigne pas contre lui. Ce qui importe, c'est ce qu'il découvre
en eux, ou plutôt, les découvertes dont ils sont pour lui l'occasion :
il n'y a pas pour un écrivain, dans tous les sens du terme, de
mauvais sujets.

Proust croit même que « les êtres comme Bergotte vivent généralement dans la compagnie de personnes médiocres, fausses et mé-
chantes. » Le bonheur est sans profit, la douleur seule féconde, et
« les œuvres, comme dans les puits artésiens, montent d'autant plus
haut que la souffrance a creusé le cœur ». Bergotte, entouré d'êtres
intelligents, purs et bons, serait peut-être heureux : rien n'alimen-
terait son génie. S'il choisit de vivre au milieu de sots et de pervers,
et s'il s'attache à eux, s'il les aime, ils seront pour lui une cause de
perpétuelle souffrance, et rien ne fait connaître mieux la condition
humaine. L'expérience de Swann n'était pas différente : dilettante
et homme du monde, il découvrit ce qu'est la vie, la douceur et
l'horreur de vivre, en aimant une femme menteuse qui se moquait
de lui. La « petite phrase » de Vinteuil, par la douleur qu'elle lui
fit éprouver, était une porte ouverte sur un autre monde : ce monde
de la vérité, auquel Proust croit si profondément. Mais Swann n'est
pas un écrivain. Sa souffrance, sa vie même, tout est perdu. Bergotte, lui, a fait son œuvre. On ne saurait la juger par les niais qui
paraissent l'avoir inspirée. « Le jour où le jeune Bergotte put montrer au monde de ses lecteurs le salon de mauvais goût où il avait
passé son enfance, et les causeries pas très drôles qu'il y tenait avec
ses frères, ce jour-là il monta plus haut que les amis de sa famille,
plus spirituels et plus distingués. »

Du milieu sans intérêt où il avait grandi, du salon de Mme Swann,
des *fillettes* dont il payait cher la complaisance, Bergotte avait
extrait cet « élément précieux et vrai caché au cœur de chaque
chose », et qu'il avait identifié, saisi, parce qu'il l'avait d'abord
reconnu en lui-même. « Chaque nouvelle beauté de son œuvre
était la petite quantité de Bergotte enfouie dans une chose et qu'il
en avait tirée. » Ainsi toute œuvre d'art impliquerait la mise à jour
d'une certaine *correspondance*, la découverte de ce que Proust nomme
« une essence commune », expérience inséparable d'une boule-

versante joie, celle donnée aussi par la « *petite madeleine* » (mais,
celle-ci, dans le Temps). « Au moment où cette chose, essence
commune de nos impressions est perçue par nous, nous éprouvons
un plaisir que rien n'égale, pendant lequel nous savons que la mort
n'a aucune espèce d'importance. » Parce qu'il goûte cette joie, et
qu'il est capable de la communiquer à ses lecteurs, l'écrivain sait
qu'il n'a pas vécu en vain.

Peu importent donc la barbe et le nez de Bergotte, le temps qu'il
semble perdre dans les salons, les indélicatesses qu'on lui reproche,
ses mœurs qu'on dit détestables : il se trouve racheté ailleurs.
Proust se demande si les vices ne sont pas le signe d'une sensibilité
complexe et riche, sans laquelle Bergotte n'aurait pu se montrer
dans ses livres « quand il était lui-même... pur comme une source ».
C'est pourquoi la méthode de Sainte-Beuve, qui prétendait juger
un écrivain en interrogeant ceux qui l'avaient connu, en collec-
tionnant des lettres, paraît tellement illusoire à Proust. Sur
Stendhal, ou Balzac, ou Baudelaire, leurs contemporains ne pourront
rien dire. Ils n'ont vu de ces écrivains que ce qu'ils laissaient voir
quand ils étaient dans le monde, et comme tout le monde, c'est-à-
dire quand ils n'écrivaient pas. « Une vie curieuse, cela plaît aux
contemporains, et même à ces critiques de la postérité qui sont
frivoles comme des contemporains, et tiennent compte de l'homme,
de l'homme à moustaches que j'avais vu en Bergotte... » Bergotte
peut avoir été un pauvre homme aux yeux de M. de Norpois, le
soir de sa mort ses livres témoigneront pour lui, dans les vitrines
éclairées des librairies, disposés trois par trois, « comme des anges
aux ailes éployées ».

B ergotte est bien plus qu'un personnage de roman : c'est
l'écrivain masqué. C'est, plus modestement, chacun de nous.
Mais il paraît dans un roman, et non dans un essai, ou une étude
philosophique. Tout ce que j'ai été tenté, un moment, d'écarter
comme négligeable, les anecdotes de la vie de Bergotte, ses ridicules, ce visage à barbiche noire, ses propos, cette silhouette

entrant dans un salon, ce médisant un peu fourbe qui accompagne en voiture le narrateur, c'est le support concret, vivant, sans lequel Bergotte ne serait qu'une idée, une abstraction qui ne toucherait pas. Ce que Bergotte *signifie* est assurément l'essentiel, mais s'il vit pour nous, et donc si ce qu'il signifie « nous frappe en plein cœur », il le doit à cette apparence tout extérieure qui pourtant le trahit. Voilà, si l'on veut, le paradoxe du personnage de roman, dont je voudrais suggérer un autre aspect. Quand un personnage s'est mis à vivre vraiment pour nous, avec un visage, une voix que nous connaissons, si nous apprenons de quels éléments épars l'auteur l'a construit, prenant le caractère de l'un, les traits de l'autre, le port de tête d'un troisième, les vertus ou les vices d'un ami, ou les siens, bien loin d'en être déçus et de voir le personnage se dissoudre, tout ce que nous apprenons de lui l'enrichit, comme si, suivant à rebours le chemin tracé par l'auteur, nous participions à sa création et le connaissions mieux. Paradoxe peut-être, mais signe d'une importante vérité : dans le domaine de la culture, toute nouvelle connaissance aiguise et approfondit le plaisir, et tout plaisir est connaissance. Un amateur de peinture goûtera d'autant mieux Rembrandt que sa technique sera pour lui sans secrets, et qu'il aura su discerner, et dissocier, toutes les couleurs de sa palette. De même, découvrir les *clefs* d'un personnage n'est nullement un jeu inutile : elles sont la matière première de l'écrivain, les couleurs qu'il a mises en œuvre, le détail vrai qui l'a frappé, sans lequel l'idée, le sentiment, ou l'impression qu'il voulait exprimer, ne seraient jamais devenus romanesques. Le personnage de roman Bergotte, c'est le *Contre Sainte-Beuve* en action. C'en est aussi, par un certain biais, la réfutation.

Le narrateur de *la Recherche* voudrait écrire. Il se reproche sa paresse et le temps gâché en visites et causeries. Puis il se dit : « En passant ma vie chez les Swann, ne fais-je pas comme Bergotte ? »

Et Proust ? Si son premier manuscrit fut refusé par la N.R.F., il le dut notamment à cette réputation d'auteur mondain. Quand parut *Du côté de chez Swann*, son style fut souvent jugé artificiel, précieux, et recherché, comme celui de Bergotte. « La complication de son écriture n'était faite que pour les gens du monde, disaient

les démocrates, qui faisaient ainsi aux gens du monde, ajoute Proust,
un honneur immérité. » Paul Souday déclara qu'en supprimant
les trois-quarts de *Du côté de chez Swann*, « l'auteur aurait pu former un petit livre exquis ». Livre « charmant et minutieux », écrivit Henry Bordeaux. Jacques-Émile Blanche, ami de Proust, le
présenta comme « un observateur de la vie parisienne, reçu dans
les salons, dont il scruta les mystères avec sympathie ». On fut surtout sensible à ce qu'il y avait « d'ingénieux » dans ses trouvailles,
à son « art minutieux du détail », à la « délicatesse exquise » des
sentiments exprimés. Or Proust a conscience d'avoir entrepris une
œuvre forte et cruelle, d'être parti, écrit-il à Jacques Rivière, « à la
recherche de la vérité ». Le public ne voyait guère dans les livres
de Bergotte que les grâces extérieures et faciles, et dans sa vie que
le sordide quotidien. Voilà ce que redoute Proust. Il sait ce qu'on
dit de lui, et devine ce qu'on dira quand il sera mort : sous les traits
de Bergotte, à l'avance, il se défend.
« Pour juger Proust à sa mesure, c'est peut-être un grand privilège de ne l'avoir pas approché », écrira dès 1926 Benjamin Crémieux. Ceux qui l'avaient approché raconteront, comme Barrès :
« Il attachait une importance que je jugeais tout à fait déraison-
nable à la vie de salon, aux relations individuelles, à la correspondance. » On retrouvera ses lettres, elles seront publiées. On verra
qu'il avait flatté, adulé n'importe qui, les médiocres plus que les
autres, appelé Montesquiou « son admirable maître », égalé la
comtesse de Noailles à Baudelaire. Sainte-Beuve a-t-il jamais fait
pire? Ce n'est pas seulement Bergotte qui songeait à l'Académie
française : Proust demanda à Jacques Rivière ce que penserait la
N.R.F. s'il s'y présentait, avec des appuis sûrs. Proust écrivait des
échos sur ses propres livres, des articles entiers, enthousiastes, répan-
dait ou faisait reproduire les éloges d'un journal danois, ou des
Nouvelles de Rennes. Bergotte avait le nez en vrille, et une barbe de
rentier? Et lui, Proust, ce fade visage du mondain à la boutonnière
fleurie. Quant aux mœurs « scandaleuses » de Bergotte, il n'était
pas utile à Proust pour les imaginer, de songer que Paul Bourget
avait été longtemps l'ami de Laure Heymann. La véritable *clef*
de Bergotte, sa double vie, sa sombre vie, Proust la connaissait

bien. De lui, on dirait aussi : « C'était un malade. » C'est lui qui dépensait avec des partenaires indignes une fortune qu'il ne regrettait pas, puisque ces êtres étaient indispensables à sa vie et à son œuvre, lui apportant, dit-il avec clairvoyance et mélancolie, « l'amour, c'est trop dire, le plaisir un peu enfoncé dans la chair ». C'est lui qui avait écrit à Jean-Louis Vaudoyer : « Depuis que j'ai vu, au musée de La Haye, la « Vue de Delft », j'ai su que j'avais vu le plus beau tableau du monde... Je ne me suis pas couché pour aller voir ce matin Vermeer... Voulez-vous y conduire le mort que je suis et qui s'appuiera à votre bras? » Plus qu'à Renan, Lemaitre ou Anatole France, c'est à lui-même qu'a pensé Proust en créant Bergotte, et ce personnage en reçoit une dimension nouvelle, un surcroît de vie. Proust se trompait donc, quand il soutenait contre Sainte-Beuve qu'un livre doit être détaché de son auteur, qu'en cherchant à retrouver celui-ci dans son œuvre, ou en éclairant cette œuvre par ce qu'on sait de lui, on le trahit. Bergotte, c'est Anatole France, je le veux bien, mais ce ne serait pas grand-chose. C'est Proust lui-même, opposant au personnage qu'il pouvait paraître, qu'il était et n'était pas à la fois, l'œuvre qu'il laisserait, s'identifiant si bien à Bergotte qu'il lui donne la mort dont il avait senti l'approche, à l'exposition des peintres hollandais. « Dans une céleste balance lui apparaissait, chargeant l'un des plateaux, sa propre vie, tandis que l'autre contenait le petit pan de mur si bien peint en jaune. Il sentait qu'il avait imprudemment donné la première pour le second. » Imprudemment ? C'est « le petit pan de mur si bien peint en jaune » qui explique Vermeer, et Bergotte, et Proust, et les justifie. Proust avait donc raison : il n'y a que le *petit mur* qui compte.

J. C.

« *Vue de Delft* »

CHAPITRE VII

Elstir
ou
Proust
et la peinture

PAR JEAN GRENIER

L'on comprend que les contemporains de Proust aient éprouvé pour lui un mélange d'admiration et d'agacement, celui-ci l'emportant sur celle-là. Proust apparaissait, dans sa vie et dans ses écrits, comme un esthète, un adepte de la « religion de la beauté », se complaisant dans un art qui l'éloignait des soucis des autres hommes.

Il a passé sa jeunesse dans une société qui vivait dans une tour d'ivoire, et les convulsions de l'affaire Dreyfus ont été nécessaires pour réveiller cette société de son sommeil. De là à penser que Proust était un de ces dilettantes qui se piquaient d'être des artistes et grâce à leur richesse pouvaient se donner les gants d'être un peu tout à la fois, des mondains, des penseurs, des écrivains, des voyageurs sans s'élever au-dessus du rang des amateurs éclairés, il n'y a pas loin... L'époque était favorable à cet éclectisme. L'édition

originale de *Les Plaisirs et les Jours* a paru avec une préface d'Anatole France (garant de la qualité littéraire de l'œuvre), quatre
pièces pour piano de Reynaldo Hahn et des illustrations de Madeleine Lemaire, le peintre des fleurs. L'idée de rassembler dans un
volume des aquarelles, de la musique et des essais qui avaient
une allure mi-poétique, mi-philosophique, le tout présenté par le
roi des sceptiques, cette idée ne donne pas un sentiment juste de ce
qu'était la conception de l'art chez Proust. Bien sûr, il inclinait
vers le précieux (et même le décadent comme la littérature de
Montesquiou) ; son affectation vestimentaire en témoignait.
Mais il commençait à écrire au moment où la théorie de l'unité
des arts prenait de l'ascendant sur tous les esprits. Baudelaire avait
bien dit que les odeurs, les couleurs et les sons se répondent. Mais
en grand artiste il avait laissé à ses successeurs le soin de transformer
une vision en système. Alors les musiciens, les peintres, les poètes,
les philosophes veulent, avec un succès moindre que celui de Wagner,
réaliser non seulement la correspondance des arts mais l'unité des
arts, reflet de l'unité de la nature. De cette conception grandiose
et inapplicable, Proust gardera la nostalgie. Il va découvrir des
équivalences qu'il appellera des « métaphores », le personnage
peint rappellera l'homme vivant ; l'homme vivant évoquera le personnage représenté.

C 'est que l'esprit est rempli de souvenirs qui sont « comme la
       peinture hollandaise de notre mémoire » ; ce sont des ta-
bleaux de genre en eux-mêmes médiocres par les événements qu'il
représentent ou par les personnages qu'ils mettent en scène, mais
pleins d'agrément grâce au naturel des caractères et à l'innocence
de la scène (1).
Et en effet quand on lit Proust on croit visiter une de ces anciennes
galeries d'amateurs où les tableaux se trouvent assemblés et pressés
les uns contre les autres, sans qu'aucun soit mis particulièrement

● *(1) Cf. Les Plaisirs et les Jours. Ch. XVIII.*

en valeur. Celui qui les a collectionnés éprouve une joie intime à les contempler successivement parce que chacun a été acquis à un moment bien précis de sa vie ou correspond à un voyage, une fête, un anniversaire, etc. Cette fragmentation devrait nuire à l'impression d'ensemble et c'est ce qui arrive chez les écrivains médiocres ou les collectionneurs désordonnés qui pèchent par dispersion, tant ils sont pris par ce qu'il y a de successif et d'incohérent dans ces tableaux de genre. Au contraire des hommes comme Proust concentrent leur attention sur chacun en particulier, persuadés que chacun, à l'instar des monades, est un symbole de l'univers. Cette collection d'apparence disparate est pour son promoteur une « Arche de Noé » dans laquelle sont réunis des êtres dont chacun est indispensable à composer le grand tableau de la création.

C'est à quoi fait penser la Recherche du Temps perdu qui n'est qu'une préparation au Temps retrouvé.

Le hasard d'une maladie m'a fait relire des chapitres enchevêtrés de Proust et les Mille et une Nuits. J'y ai retrouvé une optique parallèle et un fourmillement analogue de personnages et d'aventures qui dans leur multitude se rejoignaient dans un foyer virtuel.

J'ai été confirmé dans cette impression par ce que dit Proust de Venise, où il sortait, le soir, au milieu de quartiers nouveaux, pareil à un personnage des Mille et une Nuits — par ce qu'il dit aussi du Paris de la guerre de 14-18, plongé dans la nuit et qui le faisait penser à ces quartiers perdus de Bagdad dans lesquels errait le calife, héros de « ces Mille et une Nuits que j'ai tant aimées ».

Tout ce qui se passe dans ces capitales nocturnes offre une unité dans l'émiettement parce que hommes et choses participent au même carnaval. Watteau faisait revêtir à ses amis des costumes de la Comédie italienne lorsque ceux-ci venaient le voir. Que de types différents dans la même fête! Une seule fête...

Il est bien heureux que Proust n'ait pas poursuivi une tentative d'unification des arts. Il serait tombé dans cette unité artificielle qu'il blâmait avec raison, chez les théoriciens. La véritable unité, il l'a écrit, c'est l'unité du corps organique, c'est l'unité utile, telle qu'elle se manifeste dans l'œuvre de Michelet, Balzac et Hugo, celle qui n'a pas proscrit la variété ni refroidi l'exécution. Aussi les préfaces générales et phrases inutiles y ont-elles leur place comme provenant non pas d'une préoccupation de savant, dit Proust, mais d'une cadence de musicien. Avec Proust cette unité est réalisée par un système de correspondance, qu'on pourrait comparer à un code de sémaphore (1).

Swann, Elstir, celui qui dit « je » et qui sont des familiers des œuvres d'art, passent leur temps à redécouvrir dans la vie ce qu'ils ont découvert dans la peinture. Voici une fille de cuisine enceinte : c'est « la Charité » de Giotto (dans la fresque de l'Arena à Padoue),

« Séphora »

Odette, c'est la Zéphora de la *Bible* peinte par Botticelli à la Sixtine. Et inversement, allant de la peinture à la réalité, voici le doge Loredan qui est le cocher Rémi, un portrait de Tintoret, qui est le Dr. du Boulbon, un Ghirlandajo, qui est M. de Palancy avec son grand nez. Dans le même livre, partant de la réalité pour aller à la peinture, c'est un grand gaillard en livrée qui évoque un guerrier de Mantegna et un jeune valet de pied, une figure de Cellini (2). Ainsi la réalité quotidienne anime l'œuvre d'art entrevue certains jours dans les musées, elle l'empêche de

devenir un objet d'étude froid et scolaire. Et, en retour, l'œuvre d'art donne à la personne fréquentée tous les jours un relief qu'elle n'aurait pas sans elle, car l'habitude nous empêche de voir et l'instruction de sentir.

Ce va-et-vient est perpétuel chez Proust. L'art prend ses racines dans la nature, il n'en est même qu'une transposition : ce n'est pas une idéalisation, ce dernier terme supposant que l'on passe du

● *(1) T. III, p. 160.* ● *(2) T. I, p. 222 à 324.*

particulier au général quand on est censé s'élever de la nature à l'art. Swann ne cherche pas à retrouver dans la peinture des maîtres les caractères généraux de la réalité mais les traits individuels des visages. Le doge peint au XVIe siècle n'est pas le cocher du XXe idéalisé, il en est une réplique. L'univers n'est pas hiérarchisé, il est équilibré; l'image qu'on pourrait en donner serait plutôt que celle d'un escalier, celle d'une balance, plutôt que celle d'une représentation, celle d'un reflet. C'est ce qui rend si vivants les portraits et si artistiques les visages. Les particularités peuvent être identiques sans qu'il y ait pour autant besoin de chercher un modèle éternel, un archétype dont s'approcherait le portrait plus que le visage... bien que Swann éprouve peut-être le besoin de chercher un alibi dans sa passion pour le singulier du présent (vécu et banal) dans le singulier d'un passé (mort mais illustre).

La nature donne donc une vie nouvelle à l'art par cette osmose continuelle. L'art rend un aussi grand service à la nature en la renouvelant et même en la révélant et en faisant apercevoir des choses qui jusqu'à la création de l'œuvre étaient passées inaperçues : « Le peintre original, écrit Proust à propos de Renoir, procède à la façon des oculistes. Le traitement par leur peinture... n'est pas toujours agréable. Quand il est terminé le praticien nous dit : Maintenant, regardez! Et voici que le monde qui n'a pas été créé une fois mais aussi souvent qu'un artiste original est survenu, nous apparaît entièrement différent de l'ancien, mais parfaitement clair. » (1)

Alors, nous ne devons pas seulement à l'art un enrichissement du décor de la vie, comme Mme de Guermantes (portant des robes de chambre faites d'après d'antiques dessins vénitiens qui, malgré leur ancienneté ou plutôt à cause de leur ancienneté, apparaissaient originales) mais, sans avoir recours au passé, nous pouvons découvrir quelque chose qui s'ajoute au monde déjà connu, quelque chose qui préexiste à l'œuvre d'art mais n'est connu que grâce à elle.

Cette sorte de découverte est un mode d'invention. Un problème se pose à l'homme qui s'intéresse aux arts, de même nature que

● (1) T. II, p. 327.

celui qui se pose à l'esprit scientifique : dans quelle mesure inventons-nous, dans quelle mesure nous contentons-nous de découvrir ? Pour la philosophie des mathématiques rien de plus capital que cette question. L'intelligence ne fait-elle qu'explorer une Amérique préexistante mais inconnue et seulement soupçonnée (encore étaient-ce les Indes Orientales que Colomb croyait rejoindre et non pas un nouveau continent) ou bien fait-elle surgir des choses créées *ex nihilo* (1) ? Proust se le demande à propos de la

« Salomé dansant »

peinture. Une première réponse qu'il donne est celle-ci : l'artiste apprend à voir, il n'idéalise pas, il fait mieux : il retire le rideau qui nous cachait des parties du monde extérieur. Exemple déjà donné : Renoir. Autres exemples : Gustave Moreau nous apprend à voir les bijoux, et à l'opposé, Chardin nous apprend à voir les repas rustiques et à les admirer (2). Certaines régions du réel nous sont cachées. D'autres se dérobent à nous parce que nous les dédaignons. Or tout peut être intéressant, il suffit de réveiller notre conscience engourdie et de nous apprendre à regarder. La chose regardée n'existe-t-elle donc que par le regard qu'on jette sur elle ? Elle en est inséparable, selon Proust, et donc l'invention se confond avec la découverte, comme dans une analyse phénoménologique.

Pourtant, si l'on approfondit la conception que Proust a de l'art, on se rend bien compte que l'équilibre entre objet et sujet, tel que je viens de le définir d'après lui, tend à se rompre en faveur du sujet. Le regard crée la chose et ne la révèle pas seulement. A

● *(1) L'italique dans tout ce chapitre est notre fait.* ● *(2) «Contre Sainte-Beuve», p. 350.*

propos de Rembrandt : « La beauté n'est pas dans les objets, les objets ne sont rien par eux-mêmes. » La création artistique de l'homme fait une concurrence victorieuse à la création divine (c'est-à-dire au monde dû au Fiat du Créateur) : « Si Dieu le Père avait créé les choses en les nommant, c'est en leur ôtant leur nom, ou en leur en donnant un autre, qu'Elstir les recréait. » (1)
Alors le tableau devient tout autre chose qu'une partie, révélée par l'orbite, du monde extérieur. C'est un fragment du monde intérieur de l'orbite elle-même, monde que nous ne connaîtrons que par les autres tableaux du même peintre — tableaux dont l'ensemble constitue d'ailleurs pour le peintre la seule réalité. Ce qu'ils représentent n'est rien. Les toiles de Rembrandt, si diverses qu'en soient la facture et le motif, ont une seule caractéristique commune, et celle-ci suffit : c'est un certain « jour doré » qui est devenu pour l'auteur toute la réalité, et rien d'autre n'existe pour lui — ni pour nous quand nous pensons à lui (2).

On ne peut pas aller plus loin contre la conception classique du modèle, indépendant de l'œuvre et dont l'œuvre ne serait que l'imitation de l'idéal, supérieur à la nature, et dont l'œuvre ne serait que le reflet; du réel même, indépendant de la pensée, et dont l'œuvre ne serait que la copie. Un philosophe dirait : C'est un subjectivisme intégral.
La manière dont est conçue la création artistique renforce cette prise de position. Chaque peintre a son univers à lui absolument distinct des autres (ce qui ne plairait pas aux historiens ni aux sociologues qui cherchent des lois générales, des filiations, des influences) et, de plus, chacun de ces univers ne prend naissance que grâce à l'instinct et non à l'intelligence. Et qu'y a-t-il de plus insaisissable, de plus rebelle à une définition que ce qu'on appelle l'instinct? Sans doute l'instinct chez l'animal supérieur peut, en devenant désintéressé, conscient de lui-même, se changer en cette intuition

● (1) T. I, p. 835.   ● (2) « Contre Sainte-Beuve », p. 374, 378 et suiv.

que Bergson (jamais cité par Proust sauf une fois à propos de l'immortalité de l'âme) a décrite comme un effort de sympathie fait par l'artiste pour ressaisir le mouvement de la vie. C'est exactement le point de vue de Proust. Ce en quoi il diffère de Bergson c'est qu'il est moins indulgent pour la faculté opposée par tous deux à l'instinct, c'est-à-dire l'intelligence. Le peintre ne sait pas ce qu'il fait — Gustave Moreau, si intelligent pourtant, et professeur par-dessus le marché, donc « un intellectuel », ne savait pas ce qu'il voulait faire : « il peignait ses rêves » (1). L'inspiration consiste à pénétrer au plus intérieur de soi, patrie véritable, qui donne une joie secrète. Il faut travailler, mais le travail consiste à rester entièrement dans cette patrie, à ne s'en laisser distraire par rien. Ainsi la vie la plus frivole en apparence de l'artiste est-elle la plus sérieuse, la plus occupée. Cette théorie mène aussi à la condamnation de l'instruction : « Ce qu'on sait n'est pas à soi » et à l'éloge de l'oubli (oubli de ce qui est aux autres et ne nous appartient pas). Ceux qui raisonnent à perte de vue sur l'art ignorent tout de l'art. Posséder le sens artistique, c'est aussi « la soumission à la réalité intérieure, la seule qui compte ».

Penser ainsi, c'est professer pour « les idées » le plus grand dédain ; c'est soutenir que la vérité ne peut être donnée par un système (ce que Proust appelle les idées logiques) : « Seule l'impression, si chétive qu'en semble la matière, si insaisissable la trace, est un critérium de vérité... » (2) Étrange définition de la vérité aux yeux d'un classique, et même d'un romantique, mais bien ajustée à l'idéal des « impressionnistes ». Sentir et non pas savoir. Le personnage d'Elstir qui a été inspiré sans doute à la fois par Whistler et par Monet professe cet idéal. Il veut « dissoudre cet agrégat de raisonnements que nous appelons vision ». Le travail de l'artiste est d'abord négateur et destructeur, il refuse ce qui lui est proposé, le tout fait, pour creuser un puits artésien. L'impression la plus fugace est la pointe de la pyramide renversée qui lui servira à construire son œuvre. Le travail est le même en peinture qu'en littérature : Elstir imite le héros de *la Recherche* qui prend son point de

● *(1)* « *Contre Sainte-Beuve* », *p. 389.*   ● *(2) T. III, p. 880 et suiv.*

départ dans la chambre d'Eulalie, les aubépines en fleur, la petite phrase, le tintement de la cuiller, le bruit des pavés sous les roues, etc. pour édifier ses grandes marines. La division du ton, la touche « en virgule » seront donc les éléments de sa technique. Elstir peignant le *Port de Carquethuit* (1) en arrivera au point où Claude Monet en était arrivé lorsque dans les toiles appartenant au marquis de Réveillon (2), il prend pour motif une rivière enveloppée de brouillard — ce qui fait penser aux motifs favoris de Turner, le grand précurseur. Il s'agit alors de « peindre ni ce qu'on voit puisqu'on ne voit pas, ni ce qu'on ne voit pas puisqu'on ne doit peindre que ce qu'on voit, mais peindre qu'on ne voit pas ».

Le portail de la cathédrale cachée par le brouillard peut être beau et pourtant on ne le voit pas, et certaines heures de la vie peuvent être belles de n'être pas vues, ajoute Proust. Où est le réel, où est l'irréel ? Heureusement il existe des correspondances (des « métaphores ») qui permettent de combler le vide et qui font penser à la notion de « champ » dans la physique contemporaine, ou de « fonction » en mathématiques, les éléments ne comptant que par les rapports. Ainsi les paysages terrestres peuvent aussi bien être marins; la frontière n'est pas indécise, elle n'existe pas. C'est une dissolution complète dans la lumière (3). L'exécution de l'œuvre d'art dépasse de loin la promesse faite par l'impression initiale, et, beaucoup plus qu'à une œuvre impressionniste, nous pensons alors à une de ces œuvres improprement qualifiées d'abstraites et qui donnent de la nature une vision nouvelle parce que globale. Et plutôt qu'à Claude Monet ou même à un de nos contemporains, je citerais le nom de Strindberg qui pendant une période de sa vie a peint des « marines » qui mêlent les choses de la terre et celles de la mer dans une énigmatique unité.

La création artistique aboutit à un mystère universel né d'une illumination d'un instant.

C'est donc sur l'*individu*, l'*instant*, l'*impression* que repose cet édifice de proportions prodigieuses qu'est l'œuvre de Proust

● *(1) T. I, p. 836.* ● *(2) « Jean Santeuil », t. III, p. 282.* ● *(3) Cf. l'analyse subtile et profonde de Michel Butor dans « Les œuvres d'art imaginaires chez Proust », étude recueillie dans son « Répertoire II ».*

et les œuvres imaginaires qu'il décrit dans son œuvre propre. Une pareille conception suppose que l'art — et, dans le cas présent, la peinture — n'ouvre pas de perspective sur un monde transcendant, disons « indépendant du créateur ». Chaque artiste original crée un monde, et par conséquent plus il y a d'artistes originaux, plus nous avons de mondes à notre disposition. Ces mondes, ajoute Proust, sont encore plus différents les uns des autres que ceux qui roulent dans l'infini et qui nous envoient leur rayon particulier bien des siècles après que s'en est éteint le foyer « qu'il s'appelât Rembrandt ou Ver Meer » (1).

Or, je me demande si la conception qu'a Proust de l'art et de l'artiste n'est pas plus complexe et si à côté de cette vision des créations éparpillées et subjectives il n'y a pas une autre vision qui serait celle d'un idéal unique autour duquel graviteraient les esprits et qui les tiendrait sous un joug d'amour. Autrement dit, et pour parler en termes communs, s'il n'y aurait pas une « Beauté ». Sans doute la beauté n'est pas dans les objets, elle sort quand même d'eux. Chardin a trouvé un objet beau à peindre parce qu'il l'a trouvé beau à voir.

S'il l'a trouvé beau, n'est-ce pas parce que cet objet était « déjà » beau? Alors qu'est-ce que la beauté ? Je crois qu'il faut distinguer deux étapes dans la pensée de Proust à ce sujet sans qu'il y ait de rupture entre les deux, simplement une différence d'accent. Il y a le Proust enthousiaste de Ruskin (presque autant que Ruskin l'était de Turner) et le Proust de *la Recherche* (tout à fait original). Le premier est platonicien. Il ne trouve pas absurde l'idée de la réminiscence; seule la naïve simplicité pourra ici-bas prêter aux âmes altérées ce que le ciel seul donne peut-être. Les êtres s'élèvent de l'éphémère à l'éternel, des fleurs qui entourent la statue à la statue et de la statue à la déesse... etc. On croirait lire *Phèdre* ou *Le Banquet*. Jusqu'à cette déclaration étonnante pour quelqu'un qui fonde son œuvre sur l'instant : « Tout ce qui doit durer aspire à sortir de tout ce qui est fragile. » (2) Ce n'est pas contradictoire mais demande à être explicité pour être mis d'accord avec le reste.

●(*1*) *T. III, p. 896.* ●(*2*) *« Contre Sainte-Beuve », p. 321 à 350.*

Sur cette pente Proust va-t-il glisser jusqu'à cette « religion de la Beauté » qui eut tant d'adeptes du temps des Préraphaélites et qui servit de nom de baptême aux théories un peu incohérentes de Ruskin ? Oui, en un sens : la beauté existe, elle doit être aimée — presque adorée — et cela indépendamment des plaisirs qu'elle procure. La beauté a un rapport intime avec la vérité, c'est ce qui empêche d'être dilettante. « Les grandes beautés littéraires correspondent à quelque chose, et c'est peut-être l'enthousiasme en art qui est le critérium de la vérité... » (1) En quoi consiste ce quelque chose ? Proust serait embarrassé pour le dire. Ce n'est en tout cas pas quelque chose qui soit indépendant de l'expression qu'on en donne, la beauté de l'expression est le seul moyen de se rendre compte de la profondeur de la pensée. Ruskin se trompe complètement quand il soutient qu'une peinture est belle dans la mesure où les idées qu'elle traduit en images sont indépendantes de la langue des images. C'est tout le contraire; ce qui touche Proust en Ruskin c'est la signification qu'il donne à tels petits bateaux, dans une peinture, à tel mur en ruines, à tel âne broutant, c'est toutes les conclusions, même aberrantes, qu'il tire de l'aspect des rochers, des images et des pierres brutes. Ce qu'il y a d'indubitable, c'est l'admiration qu'éveille le désir de la beauté (tandis que l'amour rend la nature prosaïque), c'est l'existence de la beauté, c'est la corrélation de la beauté à un certain ordre de vérité qu'il est difficile de définir. Proust n'admet pas du tout l'idée romantique de de beauté-illusion, de beauté-mensonge. Il écrit en termes exprès qu'il n'existe pas de beauté tout à fait mensongère, car « le plaisir esthétique est précisément celui qui accompagne la découverte d'une vérité ». (2) Admirons ce *précisément* dont on pourrait tirer beaucoup. Admettons que dans cette période ruskinienne il y ait une sorte de déification de la beauté assimilée à la vérité. Mais dans la période de composition de *la Recherche* il est toujours question de vérité. Seulement cette vérité est fondée sur l'impression, et l'idée générale est de plus en plus stigmatisée comme étant l'erreur. La méfiance vis-à-vis de l'intelligence déjà si marquée dans la préface

●*(1) « Mélanges », p. 154 et 178.* ●*(2) « Contre Sainte-Beuve », p. 185.*

de *Contre Sainte-Beuve* est définitive. Elstir n'expose pas les choses telles qu'il sait qu'elles sont; il fait confiance à ces illusions d'optique dont est faite notre vision première. Par exemple il reproduira des jeux d'ombres que nous a rendu familiers la photographie. Mais la peinture avait été la première à dévoiler certaines lois de perspective (ex. un golfe paraissant un lac fermé de toutes parts à la suite du rapprochement apparent des falaises) (1). Proust n'a pas changé d'opinion, il l'a seulement précisée et corroborée en prenant Elstir pour modèle et ses œuvres pour exemples.

Le fait que la beauté réside dans l'impression la plus infime et la plus banale qui soit n'amène pas à nier son existence, loin de là. La beauté devient plus proche de nous qu'elle ne paraissait l'être. J'ai déjà cité la phrase où l'impression est un critérium de vérité, j'aurais dû la compléter par l'explication qui la termine « car elle est seule capable... de l'amener [l'esprit] à une plus grande perfection et de lui donner une pure joie ». C'est exactement la défininition de Spinoza : « La joie est le passage de l'homme d'une moindre à une plus grande perfection. »

L'extraordinaire de la conception proustienne c'est que, sans se démentir, elle demeure ambiguë, étant à la fois subjective à l'extrême lorsqu'il s'agit de la création artistique et objective à l'extrême quand il est question de la beauté. J'ai dit tout ce que l'on pouvait avancer en faveur du premier point de vue (qui à la première lecture est le principal); il faut mettre en lumière le second, qui n'est pas seulement dû à l'influence de Ruskin — influence devenue crépusculaire.

Dans *le Temps retrouvé* qui contient la somme de l'esthétique de Proust il est dit que nous ne sommes nullement libres devant l'œuvre d'art, nous ne la faisons pas à notre gré, elle existe avant nous, et nous devons, à la fois parce qu'elle est nécessaire et cachée, la découvrir comme nous ferions pour une loi de la nature. Rien de plus net que cette affirmation de la préexistence — et même implicitement de la réminiscence — découverte qui se prend pour une invention. Proust platonise encore plus lorsqu'il affirme à propos des Vertus

● *(1) T. II, p. 838.*

peintes par Giotto que ces Vertus n'ont pas seulement une valeur esthétique par leur symbolisme mais qu'elles ont une plus grande réalité que les êtres en qui elles s'incarnent, témoins les personnes douées d'une charité active qu'il a pu connaître et qui n'avaient aucune apparence de commisération : et pourtant « elles avaient le visage antipathique et sublime de la vraie bonté (1) ». Si l'on relit un des passages les plus connus, la mort de Bergotte en face de la « Vue de Delft », on voit bien que le petit pan de mur jaune était, si on le regardait seul, « d'une beauté qui se suffisait à elle-même (2) ». Ces derniers mots résument tout. C'est à la poursuite de cette beauté impersonnelle, et sans rapport avec sa personne ni même sa célébrité (qui sera presque aussi éphémère que sa personne), que Ver Meer a usé ses forces d'une manière incompréhensible. Autant dire que le peintre disparaît derrière la peinture. Celle-ci se manifestera à travers lui, malgré lui, contre lui au besoin, grâce à ces impressions fugitives comparables à des « Belles au bois dormant » emprisonnées dans les choses et qu'il devra délivrer.

L'artiste n'est finalement pas en quête de l'immortalité pour lui-même ni pour son œuvre, mais d'un certain mode de vie éternelle. Une coïncidence miraculeuse entre un instant du présent et un instant du passé révèle en lui un être extra-temporel qui lui permet de « jouir de l'essence des choses, c'est-à-dire en dehors du temps ». (3)

J. G.

● (1) T. I, p. 81. Même conception platonicienne à propos de l'Idée que reflète chaque personne qui nous fait souffrir; Idée dont la contemplation change notre peine en joie (III, 899, note). ● (2) T. III, p. 187. ● (3) T. III, p. 871.

Une salle de concert

CHAPITRE VIII

Vinteuil
ou
Proust
et la musique

PAR FRANÇOIS-RÉGIS BASTIDE

T toute grande œuvre romanesque, la tentation est forte de
susciter un rival direct, hors de la littérature, qui soit à la
fois origine, répondant et vainqueur. *La Comédie humaine* faisait,
selon Thibaudet, « concurrence à l'État-civil ». Pour Faulkner,
Dostoïewsky avait ajouté un livre à la Bible. Devant *la Recherche*,
il vient de même un moment où, délaissant l'analyse des formes,
la dissolution du Temps, la conquête des signes, on ne veut plus
entendre qu'une musique, on ne veut plus voir qu'une structure
musicale, « concurrence » à Wagner, selon les uns, aux derniers
quatuors de Beethoven pour les autres. Proust lui-même inspire
cette tentation en mille endroits où il apparaît fasciné par la
musique plus que par tout autre art. Et d'abord lorsque, dans *le
Temps retrouvé* éclate sa déception devant la littérature, « puisque
j'avais maintenant la preuve que je n'étais plus bon à rien, que la

littérature ne pouvait plus me causer aucune joie, soit par ma faute, étant trop peu doué, soit par la sienne, si elle était, en effet, moins chargée de réalité que je n'avais cru ». (1)

Mais quelle « réalité » manque donc au narrateur ? Qu'est-ce qui, dans ce combat de vingt ans, se refuse à celui qui a traqué la moindre apparence réelle ? Quelle joie ne lui est donnée, au moment où l'organisation furieuse de sa mémoire fait reculer la mort ? Pastichant Balzac qui écrit : « Revenons à la réalité : parlons d'Eugénie Grandet », on ferait volontiers cette réponse, au nom du narrateur : « Revenons à la réalité : parlons de Vinteuil », car c'est la musique qui nous révèle, chaque fois que nous l'interrogeons, « la nuit impénétrée et décourageante de notre âme ».

P ourtant, Proust ne se paierait-il jamais de mots, comme nombre de ses exégètes qui emploient des termes comme strette, modulation ou contrepoint pour transformer la Recherche en une vaste symphonie ? Le mot musique ne serait-il pas, comme le mot âme chez les petites dames, une sorte de tic lancinant qui prendrait le narrateur à chaque découragement, un mot transcendant jeté comme un cri, à intervalles réguliers, au-dessus d'un marais, pour animer la nuit ? La musique faisant elle-même partie de la mode, objet ridicule de passion chez nombre de personnages de la Recherche, ne serait-elle pas aussi un virus insidieux qui aurait gagné l'observateur, et dont il serait si peu maître qu'il le laisserait feindre d'organiser le Temps ? Peut-on ainsi remplacer, chaque fois qu'on le rencontre, dans Proust, le mot musique par un mot vague, tissé d'émotions mauves et de souvenirs furtifs, mais faisant pareille illusion ? La musique est-elle à la fois, chez Proust, un système supérieur d'œillades propre à Charlus, et une force implacable, l'unique regret, la structure profonde ? La réponse n'est pas aisée et devrait ressembler aux sentiments du narrateur quand il découvre enfin Mme de Guermantes. Elle n'est rien, elle est pareille à ses

● (1) T. III, p. 866.

semblables, et c'est une déception. Mais, « par réaction », c'est
aussi un « émerveillement » (1).
De tous les écrivains à musique, Proust est certainement le seul qui
ait entrevu comme un compositeur les sons, la durée, la couleur et
le rythme. A côté de lui, Thomas Mann est un pédagogue, Stendhal
un chanteur de rues et Rousseau un copiste bilieux de village. Le
vrai devin, c'est Proust. Mais on y croit mal, d'abord, car la cara-
pace mondaine est épaisse. A lire sa correspondance, on ne sait

Reynaldo Hahn au piano

pas bien s'il parle de Gabriel Fauré ou de la princesse Brancovan,
de Wagner ou d'Antoine Bibesco. Il aime quelques musiciens à la
mode, mais il en ignore d'autres, délibérément. Il a parfois peur de
se tromper. Est-ce que Debussy est vraiment « un grand génie bien
supérieur à Fauré » ? Du moins, on ne trouve nulle part qu'il ait
mis Reynaldo Hahn bien haut. Or il doit beaucoup à cet ami exquis,
devant lequel il ne craint pas d'avouer son incompétence, ses
« trous ». C'est Reynaldo qui explique, car il sait, mais qui apporte
en même temps que la science les effluves d'une sous-musique, en
tous points comparable aux jeux de société, avec un code, des
degrés, un absurde goût de l'inutile. D'où le ridicule voulu des per-

● *(1) T. II, p. 503.*

sonnages de *la Recherche* parlant musique, mais aussi les ridicules
de Proust lui-même, tout à fait spontanés. Il est probable que lorsque
Reynaldo parlait de musique avec Proust, il rendait ses leçons
amusantes par les anecdotes, les récits de bévues commises par leurs
amis. Et Proust s'esclaffait avec lui ; et les notait pour les « resservir ».
Mais en bon autodidacte, ou en érudit récent, et avec son enthousiasme d'enfant qui nous le rend si cher, il ne pouvait éviter lui-
même les « perles », soit que la bêtise, la prétention et l'inculture
des snobs l'aient trop retenu, soit qu'il n'ait pu leur échapper,
soit qu'il ait réellement ignoré trop d'éléments du royaume de
Reynaldo pour pouvoir même entrevoir celui de Beethoven.
Ainsi, tout se trouve parfois uniment logé à la même enseigne : les
rires aigus de Charlus qui ressemblent « aux petites trompettes
comme celles qui sont nécessaires pour exécuter certaines œuvres
de Bach » (là, c'est Reynaldo qui a dû faire allusion aux trompettes
en ut de Bach), le marchand d'escargots qui module le prix de ses
douzaines de gastéropodes comme dans « Pelléas », la sonnerie
du téléphone d'Albertine aussi sublime que l'écharpe de Tristan
(notations déjà plus suspectes de « verdurinisme »), la femme d'un
ministre qui croit que « Lohengrin » se donne aux Folies Bergères
et que c'est « tordant », Mme Verdurin elle-même à qui la « sonate »
de Vinteuil donne de telles névralgies faciales qu'elle est obligée
de s'enduire les ailes du nez d'une pommade, pour se protéger de
cette beauté envahissante (et tout cela est fait pour rire), mais
aussi Swann, avec sa manie si irritante de limiter la « sonate » à
la seule « petite phrase » pour évoquer Odette (et là, Proust se fait
complice de Swann), ou Charlus, avec son rêve d'entendre l' « Aria »
de Bach joué par Morel en l'église du Mont Saint-Michel, et encore
ces lignes assez pénibles : « C'est tout à fait « Pelléas », lui dis-je pour
contenter son goût du modernisme, cette odeur de roses montant
jusqu'aux terrasses. Elle est si forte dans la partition que, comme
j'ai le hay-fever et le rose-fever, elle me faisait éternuer chaque fois
que j'entendais cette scène » (1). A tant de traits, on ne sait pas
bien si la musique n'est pas dans ce monde une flûte charmeuse

● *(1) T. II, p. 813.*

de serpents abrutis. A tant de boutades (peut-être) de Proust, lorsqu'il clame par exemple que « Pelléas » est admirable parce que c'est « tout à fait le style de Malbrough s'en va-t-en guerre », on croit que son incompréhension est simulée pour provoquer, ou véritable, ou résulte d'une osmose avec Mme de Cambremer; mais elle est, de toute façon, gênante. Et on se moquerait pas mal de savoir que la « sonate » et le « septuor » doivent ci à Franck, ça à Fauré, tant à Saint-Saëns, hélas, peu à Beethoven, prou à Wagner. Une épice en vogue, une muscade, peut-être, voilà ce qu'est la musique dans Proust, et s'il en a mis partout, c'est pour briller (*).

C eci serait à peu près vrai jusqu'à la guerre, ou jusqu'au quart de la rédaction. Mais Proust avait déjà voulu écouter tout le Wagner possible chez lui, seul, à l'aide d'un étrange appareil. Et pendant la guerre, ou même vers 1920, il convoquera chez lui à plusieurs reprises, toujours en pleine nuit, dans l'appartement désert du boulevard Haussmann, le grand Quatuor Capet, pour entendre les derniers quatuors de Beethoven. Maurice Hewitt, alors second violon, se souvient de ces rendez-vous princièrement honorés, de l'exaltation de Proust, transporté par cette musique difficile, à peu près inconnue à l'époque, et ému pour lui seul, point pour la galerie. Il est de même évident que Proust a aimé Wagner contre l'avis de son milieu social, qu'il a aimé, ou feint d'aimer « Pelléas » dix ans après la bataille où il aurait pu se poser en partisan, qu'il a découvert à peu près seul le plus grand Beethoven, et qu'il s'est avec un même enthousiasme trompé sur Strawinski ou Ravel, que la vogue des Ballets Russes lui désignait pourtant d'un doigt lumineux.

Et c'est ici, paradoxalement, que je serais tenté de le proclamer admirable écrivain à musique : parce qu'il n'a jamais peur de commettre des erreurs, de choisir « à côté », d'étaler son incompétence, le primat de sa sensibilité sur son intelligence de l'harmonie,

● (*) Note reportée en fin de chapitre.

voire son goût de la très mauvaise musique, parce qu'il a royalement manqué trois ou quatre des secousses musicales de son temps, et de celles où les snobs battaient des mains, parce que la musique n'est pas en lui comme une science supplémentaire appliquée à la recherche du Beau, parce qu'il a su, d'une part, fustiger pour toujours (?) les animaux faussement malades de musique, les tigresses emperlées des concerts, les pâmées de l'Opéra, et d'autre part, laisser monter en lui, comme elle venait, une vague infiniment plus souple et plus puissante, celle de la musique roulant au même rythme que le Temps retrouvé. Tout grand créateur, toujours, se trompe sur l'art de son temps. Il n'est que de voir aujourd'hui comme certains tenants du « nouveau roman » essaient de courir après certains musiciens sériels, et après eux seulement, avec quelle angoisse visible, quelle peur de manquer une découverte, quelle compétence apprise en deux soirées. Comme si la théorie de la correspondance des arts n'était pas, depuis longtemps, un vieux bateau qui prend l'eau !

D evant la musique, Proust est à la fois plus modeste et plus ambitieux. A chaque audition nouvelle de la « sonate » ou du « septuor », et à chacun des rappels de ces auditions, tandis que le temps avance, on dirait que la menace se précise, qui pèse sur le mauvais auditeur de musique, menace entraînant la condamnation pour le narrateur de cette suite d'erreurs que furent les musiques mal reçues, trop facilement aimées, comme s'il jetait au loin ce qu'il a de trop près tenu, à qui il n'a pas donné assez de temps et dont il s'est, par conséquent, si vite lassé. La musique, une des dernières fois où elle est envisagée dans *le Temps retrouvé*, apparaît comme l'expression non plus d'une manie mondaine, ni même comme un signe de l'art, mais comme une vérité éternelle : « Était-ce cela, ce bonheur proposé par la petite phrase de la sonate à Swann, qui s'était trompé en l'assimilant au plaisir de l'amour et n'avait pas su le trouver dans la création artistique ; ce bonheur que m'avait fait pressentir comme plus supra-terrestre encore que

n'avait fait la petite phrase de la sonate l'appel rouge et mystérieux
de ce septuor que Swann n'avait pu connaître, étant mort, comme
tant d'autres, avant que la vérité faite pour eux eût été révélée. » (1)
Malheur à ceux, donc, qui n'auront pas trouvé le temps que la
musique réclamait. Malheur aussi à ceux qui n'auront pas offert
à la musique la qualité morale indispensable, et qu'André Cœuroy (2), puis Georges Piroué (3) ont analysée. Vinteuil est là pour
donner lui-même l'exemple.

Il est significatif, en effet, que dans toute *la Recherche* où abondent
les êtres de vice et ceux de médiocrité, les monstres et les grotesques,
un seul homme apparaisse sous les traits d'un saint, et qu'il ne soit
ni le peintre Elstir, toujours prompt aux plaisanteries triviales, ni
l'écrivain Bergotte, nanti d'un nez ridicule, soumis à la gloire,
sinon inhumain du moins abstrait, mais le musicien. Vinteuil est
celui que Proust aurait voulu être, à la fois modèle et intercesseur
dans cette religion de l'art qui est une métaphysique véritable. Et
ce saint est homme, et il souffre dans sa chair de père devant les
vices étalés de sa fille, et il songe au sommeil de cette fille comme
le narrateur interroge le sommeil d'Albertine, et peu à peu la
musique du « septuor » est teintée d'émotions familiales, venant
de ces deux amours paternels parallèles, soulignant tous les drames
que la musique peut apporter, dont l'exemple le plus féroce est la
passion de Charlus pour le violoniste Morel; car la musique n'est
plus un luxe de l'âme mais l'existence même de l'âme.

De là vient que Vinteuil ne fait jamais sourire, lui, et que Proust
perd toute envie de trouver motif à taquiner le personnage, et
qu'il est artiste sans être « arriviste », sans même qu'on sache bien
dans quel sanctuaire reculé il demeure. Vinteuil est tantôt un Ver
Meer souriant, Flamand, d'une douceur d'ange, tantôt empreint
de l'humilité de César Franck avec son côté « Schola Cantorum »
pour initiés (et Franck est le modèle évident de Vinteuil) (*);
tantôt plus altier encore que le grand Wallon, Vinteuil est un
Michel-Ange tonnant, réclamant le châtiment pour tous ceux qui

●(1) T. III, p. 877-878. ●(2) André Cœuroy, « Musique et littérature ».
●(3) Georges Piroué. Cf. son remarquable essai « Proust et la musique du devenir ».
●(*) Note reportée en fin de chapitre.

ont profané la musique ou manqué à la morale. C'est la même chose. Ce père trahi, bafoué, c'est *l'Ancien Testament* qu'une mauvaise nouvelle redoublée accable. C'est l'image même du conflit que nous connaissons de mieux en mieux entre Proust et sa mère, juge de ses goûts amoureux travestis, pour elle, en maladie nerveuse. L'ascension de Vinteuil, dans *la Recherche,* c'est l'absolution que Proust demande à sa mère, peut-être, et qu'elle lui donne, car le souvenir est rédempteur au point d'abolir le Temps destructeur, car cette joie du pardon, celle de Tristan, au troisième acte, ou de Tannhäuser (« Ah! Que le péché est lourd! »), est la plus chère à Proust, car « le motif joyeux » du « septuor » triomphe : ...« ce n'était plus un appel presque inquiet lancé derrière un ciel vide, c'était une joie ineffable qui semblait venir du paradis, une joie aussi différente de celle de la sonate, que, d'un ange doux et grave de Bellini, jouant du théorbe, pourrait être, vêtu d'une robe écarlate, quelque archange de Mantegna sonnant dans un buccin. Je savais bien que cette nuance nouvelle de la joie, cet appel vers une joie supraterrestre, je ne l'oublierais plus jamais ». (1)

A insi appelée, transfigurée, élue, la littérature n'est plus un décalque de la réalité mais un effort vers la musique. Cet effort, Proust le montre souvent comme la « vraie vie » et il le substitue peu à peu, d'épaisseur en allègement, d'obscurité en éclairs, à la convention, ou vie inventée, ou rêvée. Ici, Vinteuil touche au ciel. Deux forces s'affrontent en lui et luttent : « corps à corps d'énergies seulement à vrai dire; car si ces êtres s'affrontaient, c'était débarrassés de leur corps physique, de leur apparence, de leur nom... » (1) Ce ne sont pas seulement la « sonate », blanche, et le « septuor », rougeoyant, qui luttent mais la différence qui tente d'atteindre à l'essence. Aucun des signes de la réalité, aucun des sons de la musique n'ont plus de signification essentielle. Proust, après avoir tant regardé, écouté, poursuivi les

● *(1) T. III, p. 260.*

gestes, les mines, les intonations, après avoir fait collection, comme Saint-Simon, des détails les plus infimes, jusqu'au vertige du néant, après avoir fouillé hommes et femmes comme s'ils étaient d'un même sexe terreux, gluant, s'éloigne enfin des masques, avec la majesté du créateur assouvi, pour ne plus s'en souvenir qu'en les interprétant : « les paroles elles-mêmes ne me renseignaient qu'à la condition d'être interprétées à la façon d'un afflux de sang à la figure d'une personne qui se trouble, à la façon encore d'un silence subit ». (1)

Ici, à ce « silence », se marque dans *la Recherche*, comme un changement de pas sur le sol, le changement d'imparfait. Proust, parti de l'imparfait de Flaubert, impar-fait de simple narration, d'habi-tude ancrée, débouche sur l'im-parfait éternel qui joue chez lui le rôle de la mélodie continue chez Wagner, et qu'il a tant de peine à « tenir », car il faut tra-duire coûte que coûte une action prolongée, quand rien n'arrive plus, étirée, un sommeil médium-nique, une vision de ces forêts sans limite par lesquelles Wagner nous drogue et qui ont leur équi-valent dans les grottes de l'Opéra, où le mot *baignoire* (2) rappelle celui de *bain* et découvre ainsi ces grottes sous-marines. Le présent, c'étaient les baignoires, pleines de spectateurs, soit : l'imparfait du souvenir. L'imparfait éternel, c'est ce bain sous-marin qui engendre l'avenir : qui est l'avenir. Comment le montrer ? Comment montrer que seule la musique, non plus seulement écoutée mais revécue à chaque audition, pouvait engendrer en Proust ce mouvement d'oscillation pendulaire

Wagner

●*(1) T. III, p. 88*   ●*(2) L'italique dans tout ce chapitre est notre fait.*

qui lui fait proclamer que tel signe réel est effacé, ou bien qu'il est présage, ou bien qu'il se dissout dans l'avenir dont il sera pourtant, à chaque souffle, une sorte de cérémonie anniversaire. Georges Piroué, en une excellente formule, dit que « Proust n'a pas seulement joué avec sa propre mémoire, mais également avec la nôtre ». C'est en effet la mémoire de notre vie propre qui se mêle à la vie

Fauré au piano

de *la Recherche* et au souvenir que nous en avons gardé, depuis une précédente lecture. C'est un instrument plus encore qu'une œuvre, proposé par Proust, qui imite son œuvre, l'interprète et la recommence indéfiniment. Plus nous lisons, plus nous disons le « nous » de Proust, qui est son premier « je », plus nous nous sentons proches du « je » final qui pose son pied sur « les pavés mal équarris » de la cour de l'hôtel de Guermantes, au point que tous les « je venais de comprendre », les « j'apercevais enfin », les « je savais très bien », ou les « je me souvenais où j'étais » ont beau paraître prolonger une durée infinie, nous nous sommes sans le savoir appropriés cette mémoire, et c'est à notre propre *je* qu'il arrive enfin de parler au présent.

Quel chemin parcouru depuis l'utilisation de la musique comme simple signe du réel, ou machine à métaphores ! Entre l'Albertine qui joue du Rameau ou du Borodine, et qui fait ainsi voir « tantôt une tapisserie du xviiie siècle semée d'amours sur un fond de roses, tantôt la steppe orientale »... et la critique de la temporalité au nom de l'intemporel. Proust démontre en effet que la réminiscence méthodique, obsessionnelle, nous livre non pas du tout ce passé, ni le présent, mais la durée la plus intemporelle, non la plus inaccessible, mais la seule qui échappe à la mort.

On dirait que Proust suit, dans les dernières pages du *Temps retrouvé*, l'évolution des musiciens qu'il a le plus écoutés : Debussy, Fauré, et surtout Beethoven. A la fin, ces musiciens, quels qu'aient été les déploiements de leur force, le nombre de leurs coloris, ne sont plus préoccupés que de sons purs, de timbres jetés nus dans du blanc, de silences troués. De même *le Temps retrouvé* est une plaine silencieuse, un « noir au blanc » photographique, où retentit l'écho feutré de cinq ou six bruits privilégiés, tintement d'une cuiller contre une assiette, marteau frappant une roue, bruit de pas sur les pavés de l'hôtel de Guermantes, frottement d'une serviette empesée, flux de l'eau dans un tuyau. Ces bruits nous sont devenus si familiers, car ils nous ont été présentés en tant de circonstances, que l'effet de répétition, seul, nous apparaît d'abord, et sous le voile affreux d'un rabâchage, d'une impuissance sénile. Telle est aussi, pour des oreilles non préparées, même

Masque de Beethoven

aujourd'hui, l'impression produite par maintes pages des « xive » et « xvie » quatuors de Beethoven; l'auditeur se sent gêné, indiscret, comme s'il ne devait pas se trouver là, mêlé à ce tapotement furieux de bête infirme, enfermée, criant délivrance et rémission. Si prudent qu'on doive être dans le parallèle entre une page de musique et une page de mots, on ne peut échapper à celui-ci, au reste presque suggéré par le Proust mécène, pour quelques nuits, du Quatuor Capet. Tout le « xive quatuor » en ut dièze mineur a ceci de commun avec *le Temps retrouvé* qu'il est à la fois le développement d'une fugue et la synthèse de toutes les possibilités de la variation, et sur le nombre minimum de cellules centrales. On peut ici soit évoquer la répétition des sons ultimes, chez Proust, en écou-

tant l'enchaînement de l'allégro à la fugue, le passage de la taren-
telle, les métamorphoses des timbres, de plus en plus complexes;
soit évoquer Beethoven, ce presto de plus de cinq cents mesures
vers lequel il court, en relisant Proust, chez qui les répétitions ont
l'air textuelles, comme chez Beethoven, ou accidentelles, mais sont
en réalité, insensiblement déformées, la dimension essentielle de
l'œuvre. Les cinq ou six sons purs de Proust sont comparables aux
seize mesures initiales du presto, elles jouent le même rôle de pivot
moteur autour duquel le Temps tourne, avec leurs fausses reprises,
leurs changements abrupts de tempo, leurs retards, leurs altérations
de timbres, leur usage presque provoquant des silences, du
paragraphe blanchi, des sonorités suspendues, des pizzicati
comme en émulsion dans une trame harmonique effrangée jusqu'à
l'hallucination.

A u vrai, tout ceci ne peut se dire avec des mots, et j'ai cédé
à la tentation que je ne voulais même pas voir. Ceci est très
précisément, pour moi, une des seules sensations fulgurantes dont
les mots d'un témoin, même attentif, ne pourront jamais rendre
compte. L'analogie de ces deux œuvres me paraît absolue, car elles
traquent le même Temps, elles défient la même mort. Qu'une des
dernières joies de Proust sur la terre ait été l'audition de ce Quatuor
et l'arrachement du *Temps retrouvé* à la maladie doit être présenté
comme mon excuse.
Le principe essentiel de la musique est la répétition, et la variation
infinie des répétitions conquises. De même que le musicien pose sur
le sol terrestre son sol harmonique, et découpe l'espace par le mouvement de son contrepoint, et interrompt le temps par le choix
de ses durées, de même Proust, rassemblant souvenirs, habitudes,
actualisant le passé, le rendant ensuite réel, et non plus actuel, idéal
sans qu'il paraisse abstrait, puis frappant toute son œuvre d'iner-
tie, hypnotisant jusqu'au mouvement des lèvres qui pourtant pro-
fèrent des paroles, de même Proust s'affranchit du Temps, se délivre
dans ce presto éternel de ses chagrins les plus enfantins devenus

les plus récents, et non les plus anciens, et connaît enfin la joie comme un hymne : « Une minute affranchie de l'ordre du temps a recréé en nous, pour la sentir, l'homme affranchi de l'ordre du temps. Et celui-là, on comprend qu'il soit confiant dans sa joie, même si le simple goût d'une madeleine ne semble pas contenir logiquement les raisons de cette joie, on comprend que le mot de « mort » n'ait pas de sens pour lui; situé hors du temps, que pourrait-il craindre de l'avenir? »

F.-R. B.

(*) Note de la page 217. *On sait que Proust, dans une lettre célèbre à Lacretelle, publiée dans le numéro d'* « Hommage à Marcel Proust » *de la N.R.F., affirme que :* « Dans la faible mesure où la réalité m'a servi, mesure très faible à vrai dire, la « petite phrase » de cette sonate... est la phrase charmante mais enfin médiocre d'une sonate pour piano et violon de Saint-Saëns, musicien que je n'aime pas... quand le piano et le violon gémissent comme deux oiseaux qui se répondent, j'ai pensé à la sonate de Franck (surtout jouée par Enesco) dont le quatuor apparaît dans un des volumes suivants. » *En réalité, à lire Proust de près, on voit que la* « sonate » *de Vinteuil est presque toujours montrée par la seule description de la* « petite phrase ». *De plus, ce que Proust en dit correspond mal au musicien qu'il* « n'aime pas ». *En fait, si la* « sonate en ré mineur » *de Saint-Saëns a été le déclic, il semble que la substance musicale des œuvres de Franck (comme certaines réminiscences de Beethoven, de Wagner aussi, colorent le* « septuor » *de Vinteuil) soit la plus proche de la fameuse* « sonate » *de Vinteuil.*

(*) Note de la page 219. *Évident pour la plupart des commentateurs de Proust, bien qu'on ait aussi remarqué (M. Cattaui) que la première syllabe de ce nom évoque le prénom de Vincent d'Indy; mais Proust aimait peu d'Indy.*

SÉQUENCE IV

Le
Temps retrouvé

« *Un être assez grand, presque gros, les épaules hautes... Une face extra-ordinaire : une chair de gibier faisandé, bleue, de larges yeux d'almée, creux, soutenus par deux épais croissants d'ombre; des cheveux abondants, droits, noirs, mal coupés; une moustache négligée, noire. Il a l'aspect d'une chiromancienne et son sourire...* ». *Tel est le portrait que René Boylesve nous donne de ce fantôme qui a choisi la réclusion pour se consacrer à son œuvre. Il sort très rarement, la nuit pour souper chez des intimes ou au Ritz, excep-tionnellement le jour quand un événement lui paraît justifier ce sacrifice. Ainsi, en 1921, il écrit à Jean-Louis Vaudoyer : « Je ne me suis pas couché pour aller voir ce matin Vermeer et Ingres. Voulez-vous y conduire le mort que je suis et qui s'appuiera à votre bras?... » Pendant la visite de l'exposition, il est pris d'un malaise dont il s'inspirera pour décrire la mort de Bergotte.*

Jaurès le 25 mai 1913 au pré Saint-Gervais

Sur la France d'avant 14, règne un climat de fièvre politique. A travers la presse, l'écrivain suit les progrès que l'idée de guerre accomplit chaque jour dans les esprits. « Les préparatifs de guerre que le plus faux des adages préconise pour faire triompher la volonté de paix, créent au contraire, d'abord la croyance chez cha-

Déroulède lors d'une manifestation politique

*cun des deux adversaires que l'autre
veut la rupture, croyance qui amène
la rupture et quand elle a eu lieu,
cette autre croyance chez chacun des
deux que c'est l'autre qui l'a voulue. »
Groupés derrière Jaurès, les socia-
listes sont pacifistes, tandis que les
nationalistes, représentés par Déroulède, attisent la germanophobie.*

Tranchées en Champagne

La guerre éclate. Les Français ont gagné le front avec la certitude d'entre-
prendre une croisade défensive. Mais ils piétinent dans la boue des tranchées
sans rien comprendre aux subtilités de cet interminable conflit. Proust est
réformé; cependant, la guerre l'obsède : « Comme on aimait en Dieu, écrit-il à
Paul Morand, je vis dans la guerre. » Il s'inquiète pour son frère, pour ses
amis Reynaldo Hahn, Lucien Daudet, pleure Gaston de Caillavet, Bertrand
de Fénelon, tués au combat. En tant qu'homme, il craint, il souffre, mais en
lui l'écrivain observe avec une impitoyable lucidité les mutations qu'opère
dans l'individu comme dans la société le déchaînement des passions collectives.

...cipite la fin d'une société...

Reynaldo Hahn pendant la guerre

...encore inconsciente de sa ruine prochaine.

Mme Chenal chantant la Marseillaise

Une vague de chauvinisme s'est abattue sur Paris. Proust n'est guère tendre pour l'aveuglement des chroniqueurs qui jettent l'anathème sur Wagner et d'une manière générale sur toutes les formes de la civilisation germanique. A Lucien Daudet, il raconte sans indulgence les hypocrisies des gens de l'arrière, les toilettes « très guerre » des femmes, leurs voix brisées quand elles évoquent les « chers combattants », leurs gesticulations tapageuses. Symbole de cette chaleureuse participation féminine, Mme Verdurin lit avidement les journaux du matin en dégustant des croissants et, sitôt passé le moment d'indignation et de vertueuse douleur, s'abîme dans l'analyse de ses problèmes personnels.

La « Journée du 75 » : une quête devant la Madeleine le 7 février 1915

avait bien changé pour moi depuis que
pouvait le lire m'avait été fournie par
par les répliques qu'elle
je pouvais attribuer une valeur d'intelligence je pouvais les provoquer, les faire
parlementant habile. Et de fait le
ont paru une manteaux de
cruelle de ménie de
que de pitié, tout — de près,
la "légende" de dessin, le "po
étaient devenues Albertine me jeu
pluie de cour, Andrée une
Bertha une "reserve" capable
plus de terre
facilité Et pour les
oublions si vite ce qu'ils
sommes si incapables de tenir d'
idée de la chose tandis que le
netteté fort difficile et dige
ne la distinguons plus, que je
estime qu'elle avait été quelques
connaissiez pas ou une celle qui me
action enfin je
gare correspondant
espérais
encore où l'on trouve si je n'étais
amies par
au fond de leur cerveau

par
et ce de l'écrire
Elles qui les étaient
nature que je donner
fait quand on ne doit
charme
de toutes les fois qu'on s'est trompé d'un
lapsus de lecture nous a laissé pénétré
le livre parcouru trop vite en
venue de supposition ou de souvenirs
en ne veillant on la place où on
on fait très bien de l'entendre son même
substitution non pas le texte mais une
importe aussi faire tout garant des
certaine de la vérité de la jeune fille

A cette
œuvre gigantesque...

Proust dans les derniers mois de sa vie

« *Je travaille depuis longtemps à cette œuvre; j'y ai mis le meilleur de ma pensée; elle réclame maintenant un tombeau qui soit achevé avant que le mien soit rempli...* » Dès *1911*, il s'est préoccupé de trouver un éditeur. Fasquelle, la N.R.F., Ollendorf ont refusé le manuscrit; Proust a dû se résigner à publier à compte d'auteur chez le jeune éditeur Bernard Grasset. En *1913*, paraît enfin un premier volume d'environ cinq cents pages, accueilli favorablement par la critique mais boudé par le public. Malgré l'échec au prix Goncourt *1913*, la N.R.F., alertée par Henri Ghéon que le livre « emballait », regrette d'avoir ignoré ce novateur de génie.

Lui, met tout, et, à peu près n'importe comment. S'il lui arrive de se promener en automobile il consacre trois pages à décrire un demi-kilomètre de route, sans rien oublier, sans omettre un point des mille souvenirs, impressions, sensations et suggestions que les objets éveillent en son esprit, dans son cœur et presque dans son organisme ; s'il fait sauter la bande du *Figaro*... écoutez-le plutôt et ne craignez point de poursuivre la citation :

Aussitôt rompue d'un geste indolent la fragile bande du *Figaro*, qui seule nous séparait encore des misères du globe et dès les premières nouvelles où la douleur de tant d'êtres entre « comme éléments », ces nouvelles sensationnelles que nous aurons tant de plaisir tout à l'heure à *communiquer à ceux qui n'ont pas encore lu le journal* (!), on se sent soudain allègrement rattaché à l'existence qui, au premier instant du réveil nous paraissait inutile à ressaisir...

Pour le dernier trait, qui est juste, quel galimatias !
La conséquence première d'un tel procédé est une autre longueur qui allonge encore la matière. C'est en effet sa propre vie que M. Proust a choisie pour y creuser des mines aux interminables souterrains. *A la recherche du temps perdu,* voilà le titre d'ensemble qu'il a donné à son œuvre. Il est homme du monde et le fonds ne risque pas de lui manquer. Il a déjà dépensé plusieurs milliers de pages pour arriver

Article favorable aux « Croix de Bois »

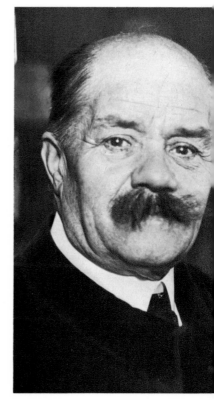

Lucien Descaves

Les nouveaux suffrages du conseil de la N.R.F. le comblent de joie. Gide, qui la première fois s'était contenté d'entrouvrir le manuscrit, lui écrit : « Depuis quelques jours, je ne quitte plus votre livre; je m'en sursature avec délices; je m'y vautre... Le refus de ce livre restera la plus grave erreur de la N.R.F. et (car j'ai cette honte d'en être beaucoup responsable) l'un des regrets, des remords les plus cuisants de ma vie... » Soucieux d'assurer à son œuvre la plus grande diffusion et prenant prétexte de la fermeture temporaire à laquelle la guerre condamne la maison Grasset, Proust entre chez Gallimard. Interrompue pendant cinq ans, la publication ne sera reprise qu'en 1919.

gloire et les suffrages d'un vaste public.

Léon Daudet

LE prix Goncourt a été, cette année, chèrement disputé et avec une violence telle qu'elle laissait peu de calme aux partisans de tel ou tel de ses candidats. Les fanatiques de M. Marcel Proust étaient forcément injustes pour le beau volume de M. Roland Dorgelès (dont certaines pages d'une sombre couleur et d'un héroïsme un peu gouailleur font penser à Raffet), comme les partisans de M. Roland Dorgelès pour M. Marcel Proust. Les journaux, dans leur ensemble, ont été très sévères pour celui-ci (sans doute à cause du peu de relations que M. Proust a dans la presse, car il y a peu d'années, elle se montra enthousiaste à l'égard d'un prix Goncourt, d'une valeur très moyenne, mais dont l'auteur était fort répandu dans les salles de rédaction).

Rarement, pourtant, le prix Goncourt a été donné, comme celui-ci, à un écrivain véritable, un écrivain de race, devant tout son intérêt à son propre génie inventif et non au côté documentaire de son livre (comme pour M. Frapié, par exemple, et tant d'autres). Il est bien évident que la révélation de M. Marcel Proust est, avec celle de M. Jean Giraudoux et de M. Valéry Larbaud, l'événement littéraire le plus

Article favorable à
« l'Ombre des jeunes filles en fleur »

« A l'ombre des jeunes filles en fleur » est salué par des articles chaleureux. Aidé par Louis de Robert, Reynaldo Hahn, Robert de Flers et surtout par Léon Daudet, membre de l'Académie Goncourt, Proust mène une active campagne : en 1919, le roman obtient le Goncourt par six voix contre quatre aux « Croix de bois » de Roland Dorgelès. Levée de boucliers parmi les journalistes outrés de voir préférer au témoignage d'un combattant les minutieux raffinements d'un amateur. Quelques anciens amis font chorus, Montesquiou osera même écrire : « L'ombre des jeunes filles en fleur l'emportait sur l'ombre des héros en sang. » Qu'importe! Proust est reconnu.

Le salon de la rue Hamelin

En 1919, Proust a dû quitter l'appartement du boulevard Haussmann, bri-
ser les derniers liens avec le passé familial. Pour cet homme exténué, livrant
à la mort une bataille quotidienne dans le seul espoir d'achever son œuvre,
le dépaysement, l'installation dans le « hideux meublé » de la rue Hamelin
prennent figure de drame. « Toutes ses affaires », tapisseries, mobilier,
lustres, livres, sont restées au garde-meuble. La solitude se fait presque totale.
« Quand tu te sens un peu seul, écrit-il à Robert Dreyfus, dis-toi que loin,
un bénédictin (j'allais dire un carmélite) de l'amitié pense à toi... » Depuis
1913, Céleste Albaret veille sur l'intérieur de Proust.

Bureau de Proust rue Hamelin

Il se réveille vers deux ou trois heures de l'après-midi, absorbe une grande quantité d'essence de café, aussi forte que celle de Balzac. A côté de son lit, des cahiers, quelques livres, de nombreux porte-plumes. Sans relâche, il travaille jusqu'à l'aube, remaniant les derniers tomes, corrigeant les épreuves, rajoutant des feuillets entiers pliés en accordéon. Rarement, de plus en plus rarement, il reçoit des amis. Son œuvre l'exige tout entier, il sait ses jours comptés et ne supporte plus de perdre ce temps précieux. En 1920, il a publié « le Côté de Guermantes » (I); en 1921, « le Côté de Guermantes » (II) et « Sodome et Gomorrhe » (I); en 1922, « Sodome et Gomorrhe » (II).

...le « Temps retrouvé ».

« *Cette fois je vais mourir. Pourvu que j'aie le temps de finir mon travail!... Céleste, promettez-moi que si les médecins, quand je n'aurai plus la force de m'y opposer, veulent me faire de ces piqûres qui prolongent les souffrances, vous les en empêcherez...* » En octobre 1922, une bronchite s'est déclarée. Le malade refuse de se nourrir, de consulter un docteur, de recevoir des soins. Malgré ses protestations, le docteur Robert Proust, appelé à son chevet, le soigne avec un dévouement infini. Épuisé, suffoquant, Proust dicte encore à Céleste, remanie certains passages d' « Albertine disparue », retouche les épreuves. Artisan acharné, jusqu'à la dernière minute, il polit le monument qui lui survivra, qui témoignera pour lui devant le Temps et devant les hommes. Il meurt le 18 novembre. D'une ambition insensée, prodigieuse, démesurée, d'une œuvre qui marque un tournant capital dans l'histoire de la sensibilité humaine, Proust a donné lui-même la plus modeste, la plus humble image qui soit : « *L'esprit a ses paysages dont la contemplation ne lui est laissée qu'un temps. J'avais vécu comme un peintre montant un chemin qui surplombe un lac dont un rideau de rochers et d'arbres lui cache la vue. Par une brèche il l'aperçoit, il l'a tout entier devant lui, il prend ses pinceaux. Mais déjà vient la nuit, où l'on ne peut plus peindre, et sur laquelle le jour ne se relèvera plus.* »

Proust sur son lit de mort

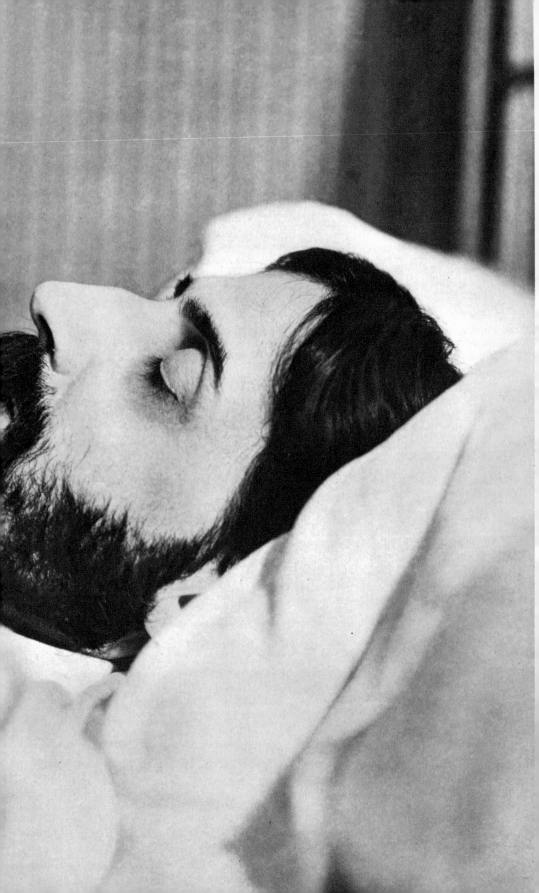

Vue d'Illiers

CHAPITRE IX

Le Temps perdu est retrouvé

PAR PASCAL FIESCHI

Les proustiens de la première race ne semblent guère avoir mis en doute et que le Temps soit au cœur de l'œuvre proustienne (comme le titre nous incite à le croire), et que ce Temps-selon-Proust soit de la même farine que le Temps-selon-Bergson. Il suffit pour s'en convaincre de se reporter au sommaire de l'*Hommage à Marcel Proust*, publié par la N.R.F., le 1er janvier 1923 : Benjamin Crémieux : *Note sur la mémoire chez Proust* — François Fosca : *La couleur temporelle chez Proust* — Ortega y Gasset : *Le temps, la distance et la forme chez Marcel Proust* — Camille Vettard : *Proust et le temps*. On peut consulter aussi du même Camille Vettard : *Proust et Einstein*, N.R.F., 1er août 1922. Tous ces auteurs sont favorables à la thèse d'un Proust bergsonien. Certains de nos contemporains, et non des moindres, pensent tout autrement. Les dimensions de la présente étude ne nous permettent malheureusement de discuter ni la thèse ancienne d'un Proust *temporaliste* (1) (si l'on ose dire), et *bergsonien*, ni la thèse *nouvelle vague* d'un Proust *non-temporaliste* et *non-bergsonien*. Contraint donc de renoncer, bien malgré nous, à l'utile examen des commentaires, nous devrons nous en tenir à l'étude, plus utile encore, des textes. Nous tenterons ainsi de montrer, d'une part, jusqu'à quel point Proust est bergsonien — ce qui constituera une réponse indirecte à la question : est-il ou n'est-il pas bergsonien? — d'autre part, quelle place le Temps tient dans son œuvre — ce qui peut éclairer indirectement la question : cette place est-elle prépondérante ou non?

Si la vision de Proust a des traits incontestablement bergsoniens, il s'en faut de beaucoup que Proust soit un bergsonien orthodoxe. Nous allons tenter de relever les points principaux de différence. Et d'abord, si, comme Bergson et quelques autres, il distingue deux mémoires, le principe de cette distinction est tout autre chez lui que chez Bergson. Chez Bergson, la distinction psychologique entre la « mémoire pure » et la « mémoire habitude » n'est qu'une introduction à une théorie de l'être, qui seule peut lui donner un sens. La première est « la mémoire de l'esprit », par laquelle s'affirme l'autonomie ontologique de la durée, la seconde la « mémoire du corps », où s'exprime la dégradation de la durée en espace utilitaire. Rien de métaphysique et de systématique dans la distinction proustienne. Il ne faut pas voir une thèse métaphysique mais une simple métaphore descriptive dans la déclaration du *Temps retrouvé*, selon laquelle « les choses..., sitôt qu'elles sont perçues par nous, deviennent en nous quelque chose d'immatériel ». (2)

Proust se borne à distinguer empiriquement entre des aspects de son expérience intime : « Au lieu des expressions abstraites « temps où j'étais heureux », « temps où j'étais aimé », qu'il avait souvent prononcées jusque-là et sans trop souffrir, car son intelligence n'y avait enfermé du passé que de prétendus extraits *qui n'en conservaient rien*, il retrouva tout ce qui de ce bonheur perdu avait fixé à jamais la spécifique et volatile essence... » (3)

● *(1) L'italique dans tout ce chapitre est notre fait.* ● *(2) T. III, p. 885.* ● *(3) T. I, p. 345.*

Il ne se soucie pas de la distinction métaphyisque entre la manière d'être du corps et celle de l'esprit mais seulement d'une différence d'efficacité empirique entre deux formes de la mémoire dont l'une ne conserve rien alors que, sous l'action toute-puissante de l'autre... « tous les souvenirs, du temps où Odette était éprise de lui... s'étaient réveillés, et, à tire-d'aile, étaient remontés lui chanter éperdument, sans pitié pour son infortune présente, les refrains oubliés du bonheur. » (1)

En outre, ce qu'il prend pour critère de cette efficacité dans la résurrection mnémonique serait bien fait pour l'éloigner de Bergson, car le vrai souvenir, pour lui, comme on vient de le voir, c'est le souvenir affectif alors que, pour Bergson, l'affectif, loin d'être le trait d'union authentique entre le présent et le passé, se tient inexorablement dans la région du présent, où il peut certes colorer un souvenir en voie d'actualisation, mais certainement pas constituer la substance même de ce souvenir.

Alors que, pour Bergson, « mon affection est dans mon corps » (2), c'est-à-dire dans le pur présent, pour Marcel Proust, elle est le cœur même de la mémoire.

Et, parmi tous ces souvenirs que Proust déclare « intellectuels », « abstraits », et dont il dit « qu'ils ne conservent rien », puisqu'ils ne conservent pas l'affectif, il faudrait ranger, sans doute, la majeure partie des *souvenirs purs* bergsoniens, sinon tous, puisque leur pureté mnémonique n'est pas garantie par leur réalité affective, et même n'a pas le droit de l'être, en vertu de l'immorsion inexorable de l'affectif dans le présent.

Insoucieux de l'abîme métaphysique qui les sépare, Proust renverrait donc, dos à dos, les deux mémoires bergsoniennes, indiscernables pour son regard de pur psychologue et ne formant ainsi qu'une seule pseudo-mémoire, distincte de la seule mémoire vraie, celle du cœur.

D'où sa déception en face des situations qui pourtant favoriseraient au maximum une irruption bergsonienne de souvenirs purs. Par exemple, quand il refait avec Gilberte, au début du *Temps retrouvé*,

●*(1) T. I, p. 345.* ● *(2) Bergson, « Matière et Mémoire ».*

les promenades de son enfance : « J'étais désolé de voir combien
peu je revivais mes années d'autrefois. Je trouvais la Vivonne mince
et laide au bord du chemin de halage. » (1) On est pourtant dans
les conditions du souvenir pur bergsonien, qui tend à restituer intégralement le passé... « Non pas que je relevasse d'inexactitudes
matérielles bien grandes dans ce que je me rappelais... Mais... il
n'y avait pas... l'immédiate, *délicieuse* et totale *déflagration* du souvenir. » (2) Il est clair que ce qui manque à l'évocation pour être
« totale » ce n'est pas un suffisant degré d'exactitude, c'est la « déflagration *délicieuse*. »
Mais ce n'est pas tout. La mémoire pure de Bergson, fondement

Les bords du Loir à Illiers

ontologique de l'esprit, ne pouvait qu'être intégrale ou laisser par-
tiellement infondée la réalité de l'esprit. Elle est une mémoire démo-
cratique et laxiste dans laquelle *tous* les souvenirs sont sauvés,
comme le montre *l'hypermnésie des mourants*. « Rien de plus instructif
à cet égard, que ce qui se produit, dans certains états de suffoca-

● *(1) T. III, p. 692.* ● *(2) T. III, p. 692.*

tion brusque, chez les noyés et les pendus. Le sujet, revenu à la
vie, déclare avoir vu défiler devant lui, en peu de temps, *tous les
événements oubliés de son histoire avec leurs plus infimes circonstances* et
dans l'ordre même où ils s'étaient produits. » (1)
La mémoire proustienne est, au contraire, aristocratique et janséniste. Elle nous est octroyée comme une grâce exceptionnelle. La
madeleine, les clochers de Martinville, les arbres d'Hudimesnil,
les pavés inégaux de l'hôtel de Guermantes, émergent sur l'horizon
de la mémoire, comme de rares et brillantes réussites, apportées
par le « hasard » (2). Nous voici bien loin de cette hypermnésie
de droit que nous garantit Bergson.
Proust semble persuadé que nous n'avons nul droit au « souvenir véritable, (3) » qui ne peut nous être accordé qu'à titre gracieux. C'est
pourquoi il accueille avec beaucoup d'indifférence cette nouvelle et
brillante preuve que Bergson tirait de l'indestructibilité du souvenir,
en faveur de la spiritualité de l'âme, donc de sa possible immortalité.
Quand il spécule sur la survie possible de Bergotte, il élimine les
preuves tirées des expériences spirites et des dogmes religieux, mais
il passe sous silence la preuve bergsonienne et fonde sa conclusion
spiritualiste sur une sorte de preuve morale : « Mort à jamais ?
Qui peut le dire ? Certes, les expériences spirites pas plus que les
dogmes religieux n'apportent de preuves que l'âme subsiste. Ce
qu'on peut dire, c'est que tout se passe dans notre vie comme si
nous y entrions avec le faix d'obligations contractées dans une vie
antérieure... Toutes ces obligations, qui n'ont pas leur sanction
dans la vie présente, semblent appartenir à un monde différent,
fondé sur la bonté, le scrupule, le sacrifice, un monde entièrement
différent de celui-ci, et dont nous sortons pour naître à cette
terre, avant peut-être d'y retourner revivre sous l'empire de ces lois
inconnues auxquelles nous avons obéi parce que nous en portions
l'enseignement en nous... De sorte que l'idée que Bergotte n'était
pas mort à jamais est sans invraisemblance (4). »
C'est la morale, on le voit, non la mémoire qui permet de croire

● *(1) Bergson, « Matière et Mémoire ».* ● *(2) T. III, p. 881.* ● *(3) T. III, p. 881.*
● *(4) T. III, p. 187 et 188.*

à la survie. Proust ne semble pas songer, un seul instant, à se servir de l'argument bergsonien. Bien plus dans un autre passage, il fait une critique explicite de cet argument. « Malgré tout ce qu'on peut dire de la survie après la destruction du cerveau, je remarque qu'à chaque altération du cerveau correspond un fragment de mort. Nous possédons tous nos souvenirs, sinon la faculté de nous les rappeler, dit d'après M. Bergson le grand philosophe norvégien (1)... Mais qu'est-ce qu'un souvenir qu'on ne se rappelle pas ? Ou bien, allons plus loin... Si je puis avoir en moi et autour de moi tant de souvenirs dont je ne me souviens pas, cet oubli... peut porter sur une vie que j'ai vécue dans le corps d'un autre homme, même sur une autre planète. Un même oubli efface tout. Mais alors, que signifie cette immortalité de l'âme dont le philosophe norvégien affirmait la réalité ? L'être que je serai après la mort *n'a pas plus de raisons de se souvenir* de l'homme que je suis depuis ma naissance que ce dernier ne se souvient de

Henri Bergson

ce que j'ai été avant elle. » (2) Manifestement, Proust ignore ou rejette implicitement la doctrine bergsonienne du cerveau organe de rappel et filtre des souvenirs, conception qui permet de comprendre comment une lésion cérébrale peut altérer la mémoire sans détruire le souvenir et comment la situation d'après la mort n'est pas identique à celle d'avant la naissance, puisque, de toutes manières, l'apparition d'un corps, par la naissance, « contracterait » la mémoire, alors que la dissolution de ce corps, par la mort, « dilaterait » cette mémoire.

● *(1) Il s'agit sans doute de Harald Höffding.* ● *(2) T. II, p. 985.*

Bergsonien hérétique, on le voit, mais bergsonien pourtant par le primat incontestablement accordé au Temps.

Sur ce point, néanmoins, il faut s'entendre. Il n'y a rien qui soit proprement proustien dans le thème si souvent repris par Marcel Proust, du temps qui fuit, détruisant les « moi » et les amours successifs. C'est le vieux thème horatien et lamartinien du *Temps destructeur (Tempus irreparabile fluit)*. Proust a utilisé ce thème avec une maîtrise indépassable. Il ne l'a pas inventé et l'on ne peut même pas dire qu'il lui ait donné une forme originale.

Son originalité n'est donc point dans le thème du Temps perdu, mais dans la doctrine du Temps retrouvé, car il y a bien là une doctrine et tout à fait originale bien qu'elle procède de « l'ontologie mnémonique » introduite par Bergson.

La grande découverte proustienne, ce n'est pas le Temps perdu, c'est le Temps retrouvé. Proust a perdu le Temps comme tout le monde.

M ais, s'il a perdu le Temps, comme le perd chaque mortel, Proust le retrouve d'une manière qui est bien à lui. C'est le pouvoir miraculeux de la mémoire qui lui permet d'échapper à l'action destructrice du Temps. Mais dira-t-on, c'est encore la doctrine de Bergson. En fait, c'est bien autre chose. On pourrait presque dire que Proust est plus bergsonien que Bergson et que son hérésie même lui fait porter la doctrine de la durée réelle au-delà du point où l'avait portée son auteur.

En effet, la mémoire bergsonienne n'est qu'une restitution de l'être qui s'est donné, d'abord, dans une sorte de « présent constituant » qui est le jaillissement même de la durée. La durée bergsonienne possède donc une double réalité : d'abord, celle, sinon du présent, du moins de la présence immédiate, puis celle de la présence mnémonique. Proust est beaucoup plus radical. Il n'y a plus, chez lui, de réalité du présent. *Le souvenir est la seule réalité... « notre vraie vie,* la réalité telle que nous l'avons sentie et qui diffère tellement de ce que nous croyons, que nous sommes emplis d'un tel bonheur quand un hasard nous apporte le souvenir véritable ».

L'être n'est donné à Proust que par la mémoire. Ce qui, tant qu'il était présent, n'avait qu'une existence mineure, une ombre d'existence, acquiert une existence pleine et entière quand il prend la forme du souvenir. L'être est fondamentalement au passé. Il naît d'un « expédient merveilleux de la nature, qui... fait miroiter une sensation... à la fois dans le passé... et dans le présent » (1) et qui n'emprunte au présent que « l'idée d'existence » (1) pour en faire « un peu de Temps à l'état pur » (1).

Cela suffit pour montrer à l'évidence que l'éternité proustienne est tout le contraire de l'intemporalité puisque sa substance c'est « un peu de temps à l'état pur ».

Et Proust voit très clairement que ce n'est pas l'intemporalité qui le sauve du Temps, mais que c'est le Temps qui le sauve du Temps. En d'autres termes, le Temps n'est pas tout entier dans sa fonction horatienne de destruction ; il possède aussi une « fonction ontogénique ». « *Une minute affranchie de l'ordre du Temps a recréé* en nous, pour la sentir, l'homme affranchi de l'ordre du temps. Et celui-là, on comprend qu'il soit confiant dans sa joie, même si le simple goût d'une madeleine ne semble pas contenir logiquement les raisons de cette joie, on comprend que le mot de « mort » n'ait pas de sens pour lui ; situé hors du temps, que pourrait-il craindre de l'avenir ? » (2) Il est affranchi de l'ordre du Temps, certes, mais c'est par la vertu d'*une minute créatrice*. « L'être qui était rené en moi quand, avec un tel frémissement de bonheur, j'avais entendu le bruit commun à la fois à la cuiller qui touche l'assiette et au marteau qui frappe sur la roue, à l'inégalité pour les pas des pavés de la cour Guermantes et du baptistère de Saint-Marc, etc., *cet être-là ne se nourrit que de l'essence des choses, en elle seulement il trouve sa subsistance, ses délices*. Il languit dans l'observation du présent, *où les sens ne peuvent la lui apporter*, dans la considération d'un passé que l'intelligence lui dessèche [le passé de la mémoire représentative], dans l'attente d'un avenir que la volonté construit avec des fragments du présent et du passé auxquels elle retire encore de leur réalité en ne conservant d'eux que ce qui convient à la fin utili-

---

●*(1) T. III, p. 881.* ● *(2) T. III, p. 873.*

taire, étroitement humaine, qu'elle leur assigne. Mais qu'un bruit,
qu'une odeur, déjà entendu ou respirée, jadis, le soient de nouveau,
à la fois dans le présent et dans le passé, *réels* sans être actuels, idéaux
sans être abstraits, aussitôt *l'essence permanente* et habituellement
cachée des choses se trouve libérée et notre vrai moi qui, parfois,
depuis longtemps, semblait mort mais ne l'était pas entièrement,
s'éveille, s'anime en recevant *la céleste nourriture qui lui est apportée.* » (1)
Il est clair que cette « essence permanente » n'est pas une essence
intemporelle, comme les Idées de Platon, mais une « céleste nourriture qui... est apportée » et qui est apportée justement par ce
frisson du Temps qu'est le souvenir affectif. « La réalité ne se forme
que dans la mémoire. » (2)
On voit bien maintenant quel rôle précis Proust assigne à l'œuvre
d'art, c'est celui de fixer, en quelque sorte, ces minutes créatrices
d'être, qui sont les souvenirs affectifs. Il s'agit de les « convertir
en un équivalent spirituel » (3).
Il nous faut signaler ici un danger dans lequel bien des commentateurs sont tombés, celui d'un certain intellectualisme, de couleur
quelque peu platonicienne, auquel pourrait conduire une interprétation trop littérale de certains textes : « Il fallait tâcher d'interpréter ces sensations comme les signes d'autant de lois et d'idées... » (4)
On en vient très vite à penser que l'important ce sont ces lois et
ces idées, par lesquelles on va « faire une œuvre d'art » (5), et
que les « sensations », c'est-à-dire les souvenirs affectifs, n'étant
que des « signes », doivent céder le pas aux choses signifiées, c'est-à-
dire à ces lois et à ces idées.
Mais, à y regarder de plus près, on s'aperçoit que, loin de constituer
l'être même, dont le souvenir affectif ne serait que le signe, ces lois
et ces idées n'ont qu'une valeur instrumentale et subordonnée à la
fin poursuivie qui est de « faire sortir de la pénombre ce que j'avais
senti » (6).
On voit clairement, un peu plus haut, combien ces lois et ces idées,
loin de constituer la réalité profonde dont l'expérience affective

● *(1)* T. III, p. 872 et 873. ● *(2)* T. I, p. 184. ● *(3)* T. III, p. 879. ● *(4)* T. III,
p. 879. ● *(5)* T. III, p. 879. ● *(6)* T. III, p. 879.

concrète serait le signe, tirent au contraire toute leur substance de cette expérience affective concrète. « Cependant, je m'avisais au bout d'un moment après avoir pensé à ces résurrections de la mémoire, que, d'une autre façon, des impressions obscures avaient quelquefois... sollicité ma pensée, à la façon de ces réminiscences, mais qui cachaient non une sensation d'autrefois, mais *une vérité nouvelle* (1), une image précieuse que je cherchais à découvrir par des efforts du même genre que ceux qu'on fait pour se rappeler quelque chose, *comme si nos plus belles idées étaient comme des airs de musique* qui nous reviendraient sans que nous les eussions jamais entendus... » (1)

En somme, ce sont beaucoup moins les réminiscences qui nous renvoient aux « belles idées » que ces « belles idées » qui nous renvoient aux réminiscences pour y puiser leur autorité.

Le temps est donc constituant chez Proust, mais c'est le temps affectif, ou, plus précisément, « le passé affectif ». Le passé a le primat sur l'avenir comme sur le présent. Proust nous dit, plus d'une fois, que l'anticipation que nous faisons de quelque chose a plus de réalité que la présence de cette chose. Ainsi la duchesse de Guermantes, anticipée dans les rêves du narrateur, a plus de réalité que la duchesse de Guermantes effectivement rencontrée.

Mais cette prépondérance ontologique de l'imaginé sur le donné ne devient effective que lorsqu'elle est remémorée à travers le souvenir affectif. En d'autres termes, le monde tel que je le rêve est plus réel que le monde tel que je le perçois, mais cette supériorité ne se peut apercevoir que dans l'éclairement du souvenir affectif. C'est la mémoire seule qui rend l'imagination plus réelle que la perception.

C'est dans ce sens que nous croyons devoir développer les profondes remarques de Gilles Deleuze sur l'œuvre de Proust comme une interprétation de signes.

C'était, en effet, sur le mode du présent que se présentait le signe à déchiffrer. « Déjà à Combray, je fixais avec attention devant mon esprit quelque image qui m'avait forcé à la regarder, un nuage,

●(1) *T. III, p. 878.*

un triangle, un clocher, une fleur, un caillou, en sentant *qu'il y avait peut-être, sous ces signes, quelque chose de tout autre* que je devais tâcher de découvrir... » (1) Il s'agit de ces « vérités » (plus profondes que celles de l'intelligence)... « que la vie nous a malgré nous communiquées en une impression, matérielle parce qu'elle est entrée par nos sens, mais dont nous ne pouvons dégager l'esprit » (1).

Ce sont, en somme, ces vérités immergées dans le présent qui constituent des signes, et le souvenir, loin d'être un signe, est l'intelligence même des signes par où ces vérités deviennent vraies. Il rend vrai ce qui aspirait à l'être. Ce n'est pas l'éternité, comme chez Mallarmé, qui, chez Proust, change l'être en lui-même, c'est le Temps, le Temps affectif.

Nous pensons être maintenant en mesure d'éviter le contresens le plus grave que l'on puisse faire — et on le fait bien souvent — sur la doctrine de l'œuvre d'art chez Proust.

Rien ne serait plus erroné que de donner de cette doctrine, comme on le fait si volontiers, une interprétation esthétiste.

On s'exprime souvent comme si Proust était une sorte de disciple attardé de Théophile Gautier, visant à l'art pour l'art, et tenant toutes les épreuves de sa vie comme une simple matière de son œuvre. Et l'on prend au pied de la lettre ses déclarations sacrificielles. « Victor Hugo disait : « Il faut que l'herbe pousse et que les enfants meurent. » Moi, je dis que la loi cruelle de l'art est que les êtres meurent et que nous-mêmes mourions en épuisant toutes les souffrances, pour que pousse l'herbe non de l'oubli, mais de la vie éternelle; l'herbe drue des œuvres fécondes, sur laquelle des générations viendront faire gaiement, sans souci de ceux qui dorment au-dessous, leurs *déjeuners sur l'herbe.* » (2)

Il est bien certain pourtant que Proust ne compte guère sur cette immortalité des livres, cette « maigre immortalité noire et dorée »

●*(1) T. III, p. 878 et 879.* ● *(2) T. III, p. 1038.*

dont parlait Valéry. Il y compte même si peu qu'il tient la mort
de ses œuvres pour aussi certaine que la sienne. « Sans doute mes
livres, eux aussi, comme mon être de chair, finiront un jour par
mourir. Mais il faut se résigner à mourir. On accepte la pensée
que, dans dix ans soi-même, dans cent ans ses livres, ne seront plus.
La durée éternelle n'est pas plus promise aux œuvres qu'aux
hommes. » (1)

Il est visible que le rôle de la transmutation artistique n'est pas de
dessaisir l'individu de sa réalité immédiate, au profit d'un ordre
surindividuel de valeurs esthétiques intemporelles, mais, bien au
contraire, de fixer l'individualité affective, dans son immédiateté
mnémonique, de la rendre, en quelque sorte, plus disponible et
plus maniable à l'individu lui-même, par delà les irruptions spon-
tanées du souvenir affectif. La métamorphose opérée par l'œuvre
d'art est fondamentalement une métamorphose affective, par où
s'accomplit entièrement l'opération du souvenir : « Les idées sont
des succédanés des chagrins; au moment où ceux-ci se changent
en idées, ils perdent une partie de leur action nocive, sur notre
cœur, et même, au premier instant, la transformation elle-même
dégage subitement de la joie. » (2)

L'éternité de l'œuvre d'art n'est pas externe mais interne, n'est
pas dans l'histoire du monde, mais dans l'immédiateté de l'auteur.
Elle est ce par quoi la mémoire affective devient proprement cons-
tituante par la transmutation du chagrin en joie.

Cette petite note de la page 1043, si peu commentée, si peu lue,
si négligée nous interdit donc de prendre trop au pied de la lettre
tous les développements proustiens sur le ton du « *non omnis moriar* »
et du « *exegi monumentum aere perennius* » même quand ce rêve d'éternité littéraire se présente sous la forme dubitative.

Ce n'est pourtant pas seulement pour faire comme tout le monde,
pour faire comme tous les auteurs, que Proust laisse sa doctrine
originale de l'œuvre d'art s'acoquiner si facilement, dans la lettre,
avec le *poncif de l'immortalité esthétique*.

C'était une aubaine, pour ses exigences pathologiques personnelles,

● *(1) T. III, note de la page 1043.* ● *(2) T. III, p. 906.*

que de pouvoir s'appuyer sur quelque chose d'aussi vigoureux que
ce poncif. Quelle admirable défense il trouvait là contre ses culpabilités homosexuelles! Je ne suis pas celui que vous croyez, l'amant
d'Albert-(ine), le sosie de Saint-Loup, l'admirateur de Charlus,
le voyeur de Mlle Vinteuil. Je ne suis qu'un auteur, une sorte de
Bernard Palissy de la littérature, qui brûle jusqu'à sa dernière
planche pour alimenter ses fourneaux et qui s'y jettera volontiers
lui-même, pour obtenir un plus beau vernis.

Il est remarquable, d'ailleurs, que ce même secours contre la culpabilité lui soit apporté aussi par un autre poncif, antagoniste du
précédent, *celui du temps destructeur*. Ces deux poncifs (l'éternité
esthétique rédemptrice et le temps destructeur), sans souci de
leur antagonisme naturel, collaborent à délivrer Proust de sa culpabilité homosexuelle. Le temps détruit tout, il emporte mes
« moi » successifs, avec les amours logés en chacun d'eux. En dissol-
vant le moi et l'amour, il dissout, du même coup, la culpabilité
qui s'y trouve enveloppée. En exauçant mes vœux amoureux toujours trop tard, et toujours au moment où se forment déjà d'autres
vœux, il établit, entre mes culpabilités et le réel, une *inadéquation*
fondamentale, par laquelle ces culpabilités se trouvent efficacement
annulées (au sens freudien du terme).

Proust soumet donc, à la fois, ses culpabilités à une double procédure
d'annulation. D'une part, le temps qui détruit tout, emporte et
dissout, avec le reste, la substance même de la culpabilité. D'autre
part, l'œuvre d'art transmue cette culpabilité en corps glorieux
d'immortalité esthétique. Ainsi, la culpabilité est annulée au maximum, à la fois selon l'être (destruction par le temps), et selon la
valeur (transfiguration esthétique).

Et l'on ne peut s'empêcher d'admirer le philosophe et l'artiste qui
ont à leur disposition, pour annuler leurs culpabilités, l'érosion
même du temps et la transfiguration de l'art, tandis qu'un Saint-
Loup doit se contenter de la servitude et du sacrifice militaires,
et qu'un Charlus doit payer ses culpabilités avec les humiliations
des Verdurin ou les méchancetés de Morel, sans préjudice des
coups de martinet reçus dans le bordel de Jupien.

Il est important pour tout le monde, même pour Marcel Proust, de se défendre contre ses culpabilités et l'on conçoit clairement que, chez lui comme ailleurs, un peu de faiblesse, donc de conformisme, se mêle à l'expression des plus hautes découvertes du génie, et que le temps puisse être ainsi, d'une part, l'œuvre d'une défense pathologique, dont l'autre face est l'éternité, tandis qu'il est aussi, d'autre part, la substance même d'une découverte incroyablement neuve, par laquelle Marcel Proust mérite d'être comparé au Bouddha (sinon même au Christ), ou à Karl Marx et à Freud, comme inventeur d'une *Scientia mirabilis*, dont Bergson n'a été que le précurseur, et dont l'objet tient tout entier dans *un peu de Temps à l'état pur*.

Et, lorsque de *ce peu de Temps à l'état pur*, qui ne se donne à lui que dans les rares fulgurations de la mémoire involontaire, il cherche *l'équivalent spirituel*, il ressemble moins à quelque inventeur industriel, soucieux d'obtenir le brevet qui garantira ses droits, qu'à quelque audacieux oiseleur voulant mettre en cage la grâce divine ou à quelque magicien s'efforçant d'enfermer les démons dans des bocaux, ou, si l'on veut, à Descartes, cherchant à sceller la lumière de l'évidence dans l'immutabilité de la véracité divine, sans nul souci de savoir s'il accroîtrait par là le nombre des lecteurs de ses Méditations.

Que de ce *peu de Temps à l'état pur*, l'art fasse un instrument direct de salut individuel, sans nulle médiation nécessaire de la réussite et de l'immortalité littéraires, c'est ce qui ressort clairement du fait que « l'art digne de ce nom... peut... tirer de son impuissance un enseignement ». « C'est (cette essence du passé) que l'art digne de ce nom doit exprimer, et s'il y échoue, on peut encore tirer de son impuissance un enseignement... à savoir que cette essence est en partie subjective et incommunicable. » (1) Et, il faut bien dire que, dans cette situation, l'enseignement semble l'emporter sur l'échec, car, si cette « essence du passé », « subjective et incommunicable » (à autrui), peut dénoncer, par son échec esthétique, la communication qu'elle semble se proposer comme but majeur, ce n'est pas la communication avec autrui par le livre, mais « la

● *(1) T. III, p. 885.*

communication de notre moi présent avec le passé, dont les choses gardaient l'essence, et l'avenir, où elles nous incitent à la goûter de nouveau » (1).

On voit bien qu'il s'agit là de politique intérieure. L'art, quand il réussit, n'est qu'un fixatif qui permet à l'artiste d'avoir toujours sous la main, non pour les autres mais pour soi-même, les grâces rares et discontinues de la mémoire involontaire.

Mais la vraie source de vie est dans ces fulgurations de la grâce mnémonique, à laquelle la littérature ne peut qu'emprunter ce qu'elle prétend leur ajouter, de même que, chez Descartes, la véracité divine ne peut rien octroyer à l'évidence inactuelle qu'elle n'ait emprunté, d'abord, à l'évidence actuelle, qui n'a besoin, quant à elle, de nulle garantie : « Comme au moment où je goûtais la madeleine, toute inquiétude sur l'avenir, tout doute intellectuel était dissipé. Ceux qui m'assaillaient tout à l'heure, au sujet de la réalité de mes dons littéraires, et même de la réalité de la littérature, se trouvaient levés comme par enchantement. » (2) On voit que « l'évidence actuelle proustienne », c'est-à-dire le souvenir affectif, ne fournit pas seulement à la réalité esthétique sa matière, mais qu'elle lui fournit aussi son fondement.

L'insertion durable du livre dans le *Temps du monde,* appelée de tous ses vœux par le désir d'annulation des culpabilités personnelles, masque la doctrine authentique de l'immortalité, la vraie victoire proustienne sur la mort, qui s'affirme, d'abord, dans le Temps interne et mnémonique, avec la force immédiate et absolue de l'évidence actuelle : « ...les images de Combray et de Venise m'avaient... à l'un et l'autre moment, donné une joie pareille à une certitude, et suffisante, *sans autres preuves,* à me rendre la mort indifférente » (3).

Le texte fameux sur les trois clochers de Martinville (4) montre bien comment l'œuvre d'art a pour tâche essentielle de développer et de consolider, du dedans, cette sorte de « nova » de la mémoire affective qui l'a suscitée comme son complément naturel.

● *(1) T. III, p. 885.* ● *(2) T. III, p. 866 et 867.* ● *(3) T. III, p. 867.* ● *(4) T. I, p. 180.*

« Je ne savais pas la raison du plaisir que j'avais eu à les apercevoir
à l'horizon... J'eus une pensée qui n'existait pas pour moi l'instant
avant, *qui se formula en mots dans ma tête*, et le plaisir que m'avait
fait tout à l'heure éprouver leur vue s'en trouva tellement accru
que pris d'une sorte d'ivresse, je ne pus plus penser à autre chose.
« Sans *me dire* que ce qui était caché derrière les clochers de Martinville devait être quelque chose d'analogue à une jolie phrase,

Une rue d'Illiers

puisque c'était sous la forme de mots qui me faisaient plaisir que
cela m'était apparu... je composai malgré les cahots de la voiture,
pour soulager ma conscience et obéir à mon enthousiasme, le petit morceau
suivant... » (1)

L'œuvre écrite, prise ici dans sa source, apparaît donc bien comme
« une verbalisation directe » de l'onde affective, insérée dans le
vécu même de cette onde, et non pas comme un je ne sais quel
dépassement de ce vécu affectif vers un *monumentum aere perennius*.
L'immortalité esthétique dans le Temps du monde peut lui être

● *(1) Loc. cit., t. I, p. 181.*

donnée, certes, et l'auteur ne peut que le souhaiter mais, si elle est donnée, ce sera nécessairement par surcroît, après que lui aura été donnée cette immortalité interne, fondamentale, qui se constitue d'abord dans l'évidence actuelle de la pure secousse affective pour se confirmer dans la verbalisation immédiate de cette secousse. Ainsi le « cogito mnémonique » de Proust se déploie naturellement en la véracité divine de l'œuvre d'art, sans nulle médiation d'intentions esthétiques même implicites.

Et l'on conçoit qu'il nomme volontiers éternité cette possession de l'être par la mémoire, mais il faut bien prendre garde que l'éternité ainsi entendue n'est pas l'intemporalité.

P roust semble pourtant ne vouloir nous laisser aucun doute sur le caractère intemporel de son éternité mnémonique. « ...L'être qui alors goûtait en moi cette impression la goûtait en ce qu'elle avait de commun dans un jour ancien et maintenant, dans ce qu'elle avait *d'extra-temporel*, un être qui n'apparaissait que quand, par une de ces identités entre le présent et le passé, il pouvait se trouver dans le seul milieu où il pût vivre, jouir de l'essence des choses, c'est-à-dire *en dehors du Temps* (1). Cela expliquait que mes inquiétudes au sujet de ma mort eussent cessé au moment où j'avais reconnu inconsciemment le goût de la petite madeleine, puisqu'à ce moment-là, l'être que j'avais été était un être extra-temporel, par conséquent insoucieux des vicissitudes de l'avenir. » (1) Mais ne nous hâtons pas trop de croire le temps exclu par le caractère extra-temporel de sa propre essence. Il y a deux façons d'être en dehors du temps.

Ce que nous entendons distinguer ici de l'intemporalité stricte, ce n'est pas ce qu'on en distingue, depuis Boèce, sous le nom de « sempiternité » (2). « La sempiternité et l'éternité diffèrent : le maintenant qui se soutient et demeure constitue l'éternité; le

● *(1) T. III, p. 871.* ● *(2) « Sempiternitas et aeternitas differunt : nunc enim stans et permanens aeternitatem facit; nunc currens in tempore sempiternitatem. » Boèce - De consolatione - 5.*

maintenant qui court dans le temps constitue la sempiternité. »
Proust, nous l'avons vu, n'attend rien de cette sempiternité qui
n'est qu'une existence prolongée indéfiniment à travers le temps.
Elle ne saurait appartenir, selon lui, ni à l'amour, ni au moi, ni
au souvenir, fût-ce le souvenir affectif, ni même à l'œuvre d'art.
Le « miracle » (1) du souvenir affectif opère d'une tout autre
façon ; il ne l'entraîne pas sans fin dans le fleuve du temps. Il le
met « en dehors du Temps ». Il ne s'agit donc pas manifestement
de la *sempiternité intra-temporelle* mais de *l'éternité extra-temporelle.*
Mais c'est justement cette éternité extra-temporelle qui nous paraît
se présenter sous une forme ambiguë, chez Boèce et chez tous ceux
qui l'ont suivi, non toutefois chez Proust. Les dimensions de cette
étude et son caractère même ne nous permettent pas de montrer
les profondes analogies entre « l'éternité » proustienne et le « présent
vivant » de Husserl qui nous paraît approcher, plus que les autres
doctrines, le *nunc stans* de Boèce.
Il y a lieu, semble-t-il, de distinguer, chez Boèce, deux types de
formules pour désigner l'éternité. Elle est dite, d'une part, *duratio
tota simul* (2) (une durée donnée toute d'un coup), « une existence
infinie tout entière également présente » (2). Mais elle est pré-
sentée, d'autre part, comme un *nunc stans* (2) (un maintenant qui se
maintient).
Or, il est bien clair que cette *duratio tota simul* et ce *nunc stans*, quelle
que soit l'unité qu'ils puissent prendre dans la doctrine de Boèce
— et dont il n'est nul besoin de traiter ici — quand on les considère en eux-mêmes, rendent un son très différent. Et nous avons
voulu souligner cette différence en nous astreignant à traduire
strictement *nunc* par « maintenant » et non par « présent », comme
on le fait d'habitude, ce qui revient à charger de toute l'ambiguïté du mot « présent » le mot *nunc*, qui nous semble en lui-même
très clair et tout à fait exempt d'ambiguïté.
Que l'éternité selon Proust ne soit pas une *duratio tota simul*, c'est
ce qui nous semble surabondamment établi par les textes mêmes
où il nous montre comment il en arrive à cet « en dehors du Temps ».

●*(1) T. III, p. 871.* ● *(2) Boèce, op. cit.*

Rien, en effet, qui soit moins totalitaire. Le fondement pluralis-
tique de cette éternité est clairement affirmé. « Le geste, l'acte le
plus simple reste enfermé comme dans *mille vases clos* dont chacun
serait rempli de choses d'une couleur, d'une odeur, d'une température absolument différentes (1); sans compter que ces vases,
disposés sur toute la hauteur de nos années, pendant lesquelles nous
n'avons cessé de changer, fût-ce seulement de rêve et de pensée,
sont situés à des altitudes bien diverses, et nous donnent la sensation
d'atmosphères singulièrement variées. » (1)

Que cette essence ou « figure du Temps » soit, en quelque sorte,
« extra-temporelle », cela n'entraîne point l'affirmation d'une totalité simultanée, mais seulement d'un cheminement original selon
la voie du Temps, qui décolle, si l'on peut dire, l'être du mouvement
par lequel le Temps le dissout (puisque nous savons que la sempiternité est interdite), pour le laisser dans une ambiguïté qui exclut
toute totalisation.

Cette « félicité » (2) qui « s'impose » (2) avec « un caractère de
certitude » (2) et qui le transporte justement « en dehors du
Temps » (2), elle a sa « cause » (2) dans des « impressions bienheureuses » (2) dont il dit : « ...Je les éprouvais à la fois dans le
moment actuel et dans un moment éloigné, jusqu'à faire *empiéter
le passé sur le présent, à me faire hésiter à savoir dans lequel des deux je
me trouvais.* » (3)

Loin d'être totalité, l'éternité proustienne se caractérise par une
inaptitude à la totalité, comme on le voit bien par la suite du même
passage.

« Si le souvenir, grâce à l'oubli, n'a pu contracter aucun lien,
jeter aucun chaînon entre lui et la minute présente, s'il est resté
à sa place, à sa date, s'il a gardé *ses distances, son isolement, dans le
creux d'une vallée ou à la pointe d'un sommet*, il nous fait tout à coup
respirer *un air nouveau, précisément parce que c'est un air qu'on a respiré
autrefois*, un air plus pur que les poètes ont vainement essayé
de faire régner dans le Paradis et qui ne pourrait donner cette
sensation profonde de renouvellement que s'il avait été respiré

● *(1) T. III, p. 870.* ● *(2) T. III, p. 871.* ● *(3) T. III, p. 871.*

déjà, car les vrais paradis sont les paradis qu'on a perdus. » (1)
On ne saurait être plus explicite. La force ontogénique du souvenir,
le pouvoir d'éternité qui est en lui ne tiennent pas à son assomption
en une sorte d'intemporalité totalitaire, mais à son immédiate
affirmation pluraliste dans « les distances » et à son « isolement »,
dans son *nunc stans*, radicalement opposé à la *duratio tota simul*.

On conçoit que Proust, se sentant menacé au cœur de son être
par l'action dissolvante du temps et voulant arracher cette menace
plantée en lui, se soit hâté de proclamer « extra-temporel » ce réel
indestructible suscité par la mémoire. Il rejetait loin de lui le temps
tout entier, comme une tunique de Nessus, pour être sûr de se débar-
rasser de ce venin destructeur. Mais on a vu que, lorsqu'il entreprend de décrire cette situation « extra-temporelle » à laquelle le
fait accéder le souvenir affectif, il nous met en présence d'une
réalité positive qui ne peut être que celle du Temps même. Ce qu'il a
découvert, en fait, sous le nom d' « extra-temporel », c'est l'aspect
positif du Temps, celui qui se révèle dans le souvenir affectif.

Il est à peine besoin de souligner que si cette « figure » ou cette
« forme du temps » possède une « valeur d'éternité », ce n'est
pas de la même façon qu'il existe une essence éternelle du triangle
à travers tous les triangles précaires et contingents que dessine la
nature. De quelque façon que l'on doive comprendre le rapport
du Temps avec sa notion, il est bien clair que Proust n'a pas en vue
l'éternité d'une notion mais celle d'une expérience, et M. Alquié a
montré d'une manière décisive qu'il s'agissait là de deux ordres
différents.

De quelle manière cette expérience d'éternité va-t-elle s'opérer dans
la mémoire affective ?

Le simple fait de la résurrection mnémonique, même quand elle
est affective, ne suffirait pas à constituer une expérience d'éternité.
On peut s'en assurer en considérant, par exemple, cette autre
forme de mémoire affective qu'est « l'abréaction cathartique » de
Breuer. Le passé, bloqué dans l'inconscient, avec sa charge affective, vient exploser dans le présent où cette charge affective trouve

● *(1) T. III, p. 870.*

des voies d'écoulement. Le passé affectif vient envahir le présent, pousse des racines en lui, et c'est par là seulement que cette opération peut être abréactive et cathartique. On est à l'opposé de la situation décrite par Proust, dans le texte cité plus haut, où il montre que la vertu créatrice du souvenir affectif est justement dans ses « distances » et son « isolement » par rapport à la « minute présente ».

On découvre ainsi, dans *l'expérience d'éternité* proustienne deux caractères, en apparence mal compatibles. D'une part, cette expérience restitue intégralement le passé affectif, d'autre part, elle le coupe de la « minute présente ».

En fait, Proust nous présente non pas *une* mais *deux* mémoires affectives, ayant des caractères bien distincts, mais susceptibles toutefois, dans certains cas, de coopération.

L'une, qu'on pourrait appeler la « mémoire affective banale », se borne à opérer ce dont la « mémoire volontaire » ou « mémoire intellectuelle » est incapable, c'est-à-dire la conservation véritable du passé, son exhumation intégrale dans le présent (quand nous parlons de conservation intégrale du passé, nous ne voulons pas dire que *tout* le passé se conserve — thèse bergsonienne à laquelle nous avons vu que Proust ne faisait aucune place — mais que ce qui du passé est conservé l'est intégralement, avec toute sa couleur et sa chaleur affectives). « Il m'arrivait souvent de *me rappeler avec une violence de désir inouïe* telle fillette de Méséglise ou de Paris, la laitière que j'avais vue au pied d'une colline, le matin, dans mon premier voyage vers Balbec. » (1) La jalousie elle-même survit ainsi aux conditions qui l'ont fait naître. « ...au moment où il redisait ces mots, *la souffrance ancienne le refaisait tel qu'il était* avant qu'Odette ne parlât... sa cruelle jalousie le replaçait, pour le faire frapper par l'aveu d'Odette, dans la position de quelqu'un qui ne sait pas encore, et, au bout de plusieurs mois, cette vieille histoire le bouleversait toujours comme une révélation. Il admirait la terrible puissance *recréatrice* de sa mémoire. » (2)

Ce pouvoir de résurrection affective s'exerce même pendant le

● *(1) T. III, p. 628.* ● *(2) T. I, p. 368.*

sommeil. Témoin le curieux cauchemar où Swann rêve qu'Odette
le trompe avec Napoléon III. « Tout d'un coup Odette... dit : il
faut que je m'en aille... Il aurait voulu la suivre... mais son cœur
battait horriblement... Le peintre fit remarquer à Swann que
Napoléon III s'était éclipsé un instant après elle. » (1)

Mais, si intenses que soient ces résurrections dont la riche variété
couvre tout le domaine de la vie affective, ce n'est pas en elles que
se fait l'expérience de l'éternité. (L'attitude commune à la plupart
des critiques est d'affirmer que l'art seul est véritable facteur d'éternité et que la mémoire se borne à en fournir l'occasion. Nous pensons avoir montré, au contraire, que l'art reçoit l'éternité toute faite
des mains de la nature, en l'espèce, de la mémoire, mais nous pensons aussi que cette éternité naturelle mnémonique n'est pas liée
au pouvoir affectif banal de la mémoire, quelle que soit l'intensité
avec laquelle il s'exerce.) Elle requiert un autre principe.

La puissance de ces résurrections ne les empêche nullement, en
effet, de subir, comme toutes choses, l'action destructrice du temps.
Les souvenirs douloureux de la jalousie s'effacent peu à peu, et
même s'ils survivent un moment à l'aveu qui en faisait la substance
ils finissent par périr comme lui, puisque tout périt, même l'œuvre
« immortelle ». « Parfois le nom, aperçu dans un journal, d'un
des hommes qu'il supposait avoir pu être l'un des amants d'Odette,
lui redonnait de la jalousie. Mais elle était bien légère... Cette
jalousie lui procurait plutôt une excitation agréable, comme au
morne Parisien qui quitte Venise pour retrouver la France, un dernier moustique prouve que l'Italie et l'été ne sont pas encore bien
loin. Mais le plus souvent, le temps si particulier de la vie d'où il
sortait, quand il faisait effort, sinon pour y rester, du moins pour
en avoir une vision claire pendant qu'il le pouvait encore, il s'aper-
cevait qu'il ne le pouvait déjà plus... » (2)

Ce n'est donc point par l'intensité de l'affectivité dont elle est
chargée que la résurrection mnémonique atteint la température
de l'éternité. Bien au contraire.

Il semble que les commentateurs n'aient pas assez remarqué que

---

● (1) T. I, p. 379. ● (2) T. I, p. 377 et 378.

Proust, sous le titre de la mémoire involontaire, nous présente deux ordres de faits bien distincts. Certains de ces faits, ceux que nous venons d'évoquer, sont les plus intenses, mais nous avons vu que la brutalité avec laquelle ils nous restituent le passé ne les soustrait en rien à l'action dissolvante du Temps et ne leur confère donc pas la moindre aptitude à communiquer à l'œuvre d'art cette éternité extra-mondaine dont ils constitueraient l'expérience primordiale.

Paradoxalement, les faits mnémoniques qui atteignent la température de l'éternité ne sont pas des faits d'affectivité intense, brutale, mais, bien au contraire, des manifestations d'une affectivité diffuse et discrète, très douce, et qui envahit l'horizon temporel de l'être par un ruissellement insensible. « (Ces rues) étaient fort mal pavées, mais, dès le moment où j'y entrai, je n'en fus pas moins détourné de mes pensées par cette sensation d'une extrême douceur qu'on a quand, tout d'un coup, la voiture roule plus facilement, plus doucement, sans bruit, comme quand, les grilles d'un parc s'étant ouvertes, on glisse sur des allées couvertes de sable fin ou de feuilles mortes; *matériellement il n'en était rien. Mais je sentis tout à coup la suppression des obstacles extérieurs, parce qu'il n'y avait plus pour moi d'effort d'adaptation ou d'attention* que nous faisons, même sans nous en rendre compte, devant les choses nouvelles. Les rues par lesquelles je passais en ce moment étaient celles, oubliées depuis si longtemps, que je prenais jadis avec Françoise pour aller aux Champs-Élysées. *Le sol, de lui-même, savait où il devait aller; sa résistance était vaincue.* Et, comme un aviateur qui a jusque-là péniblement roulé à terre, « *décollant* » brusquement, je m'élevais lentement sur les hauteurs silencieuses du souvenir. » (1)

On aurait tort de croire qu'il s'agit de « la reconnaissance » motrice si bien décrite par Bergson. Le frayage dont il s'agit garde quelque chose d'irréel, de beaucoup trop suspect pour être imputé à une véritable familiarité motrice. Ce n'est pas une « insertion », une « pénétration » de souvenirs dans le présent (selon les métaphores classiques depuis Bergson), c'est un « décollage ». Il n'y a peut-être

● *(1) T. III, p. 858.*

pas de mot plus expressif, dans tous ceux dont Proust s'est servi, pour caractériser cette forme originale de mémoire affective qui est proprement la mémoire proustienne, la mémoire éternisante qui imprimera sa force ascensionnelle à l'œuvre d'art.

Que l'on relise les textes canoniques de cette doctrine (la madeleine, le tintement de cuiller, la serviette empesée, les clochers de

Martinville, les arbres d'Hudimesnil, les pavés inégaux de l'hôtel de Guermantes). Il est singulier que la fonction éternisante de la mémoire ne s'affirme pas à travers les bouleversements orageux suscités par le souvenir d'Albertine ou d'Odette mais dans ces « décollages » souples et silencieux que nul orage ne vient troubler. Tout se passe comme si *le pouvoir d'éternité du souvenir était fonction inverse de son intensité affective.* Et ce n'est pas que ce pouvoir d'éternité soit dans la pure représentation du passé. On a vu tout le mépris de Proust pour « les instantanés de

L'église de Dives

la mémoire ». C'est bien par sa vertu affective que la mémoire est éternisante. Mais, contrairement à ce qu'on pourrait croire, ce pouvoir d'éternité ne s'accroît pas avec la densité affective du passé conservé. Il manque aux états les plus aigus, les plus tumultueux de la jalousie amoureuse et il appartient d'emblée à des états affectifs de faible intensité comme ceux qui accompagnent l'ingestion d'une madeleine, l'apparition de trois arbres ou la sensation de pavés inégaux. Proust revient souvent sur le caractère « immatériel » de cette « félicité » qui est l'éternité même. Cela montre assez que la vertu éternisante de la mémoire ne tient pas au poids originel du passé affectif conservé mais, tout au moins, à une certaine manière affective de conserver ou, pour mieux dire, à une opération mnémonique

dont les caractères vrais sont masqués plutôt que révélés par le terme
de conservation. Il va sans dire que nous ne reprenons pas ici la
querelle faite par tant de philosophes contemporains — au nom de
la métaphysique ou de l'ontologie — à la théorie de la mémoire-
conservation. La conservation du passé n'est pour nous qu'un concept
empirique et nous nous en accommoderions fort bien s'il permettait
de décrire les faits.

S i l'on ne peut donc pas dire que c'est à partir d'un certain
taux affectif de conservation que la mémoire est éternisante,
on ne peut guère dire non plus que ce soit à partir d'un certain mode
de conservation ou de résurrection.
Il nous paraît nécessaire, sur ce point, de soumettre à l'examen
un argument devenu classique, dans les discussions métaphysiques
autour de la mémoire affective, et qui s'inspire justement de l'expérience fameuse de la madeleine. On cherche la preuve qu'il ne
s'agit pas de l'ébranlement affectif produit dans le présent par un
fragment de passé conservé à titre de pure représentation, mais
qu'il s'agit bien de la conservation propre du passé affectif. Cette
preuve, on croit la trouver en des expériences comme celle de la
madeleine, où le souvenir affectif précède nettement le souvenir
représentatif, de même que parfois, aux dires des marins, la houle
précède le vent. Ce net retard de la représentation explicative sur
l'ébranlement affectif qu'elle doit expliquer se retrouve dans toutes
ces expériences fondamentales de Proust (arbres d'Hudimesnil,
pavés inégaux).
Or, selon nous, ce retardement nous apporte une indication beaucoup plus précieuse que ne pourrait l'être une confirmation d'une
thèse métaphyisque. Il nous montre combien est lâche, en fait, le
lien entre « le phénomène affectif primordial » et « l'interprétation
mnémonique » qui le suit spontanément mais à distance. En somme,
notre expérience d'éternité est déjà constituée lorsque nous l'im-
putons à la mémoire. « Un plaisir délicieux m'avait envahi, isolé,
sans la notion de sa cause. Il m'avait aussitôt rendu les vicissitudes de

la vie indifférentes, ses désastres inoffensifs, sa brièveté illusoire...
en me remplissant d'une essence précieuse : ou plutôt cette essence
n'était pas en moi, elle était moi. J'avais cessé de me sentir médiocre,
contingent, mortel. » (1)

On ne peut douter qu'à ce stade-là, l'expérience d'éternité n'ait
déjà fait le plein de sa substance et qu'elle ne soit toute prête à se
couler dans l'œuvre d'art. Et pourtant, avant qu'elle se déclare
comme expérience mnémonique, il faudra que Proust écarte bien
des « incertitudes », poursuive bien des « recherches ». Et nous qui
le suivons dans son cheminement nous ne pouvons nous empêcher
de sentir combien le lien est ténu entre le *terminus a quo* et le *terminus
ad quem*. Nous ne pouvons nous empêcher de tirer sur le fil et de voir
ce qui reste si nous arrachons cette référence mnémonique. Il
semble bien que l'essentiel soit maintenu. Ce n'est pas la mémo-
risation affective qui fait l'expérience d'éternité, mais c'est plutôt
l'expérience affective d'éternité qui suscite, sur son horizon, une
confirmation mnémonique. Et encore cette confirmation fait-elle
parfois défaut... « les deux clochers seraient allés à jamais rejoindre
tant d'arbres, de toits, de parfums, de sons que j'avais distingués
des autres à cause de ce plaisir obscur qu'ils m'avaient procuré et
que je n'ai jamais approfondi. » (2)

Il y a plus. Non seulement la référence au passé paraît contingente
par rapport à la « félicité » fondamentale, mais encore, dans les
cas mêmes où elle se déploie jusqu'à son terme, elle atteint tout
autre chose qu'un état affectif ancien dont elle serait la résurrection. Certes l'expérience se donne bien comme une pression du
passé sur le présent. « La salle à manger marine de Balbec, avec
son linge damassé préparé comme des nappes d'autel pour recevoir
le coucher du soleil, avait cherché à ébranler la solidité de l'hôtel
de Guermantes, à en forcer les portes, et avait fait vaciller un instant les canapés autour de moi... Toujours, dans ces résurrections-là,
le lieu lointain engendré autour de la sensation commune s'était accouplé
un instant, comme un lutteur, au lieu actuel. » (3)

C'est justement quand l'évocation du souvenir est menée jusqu'à

● *(1) T. I, p. 45 et suiv.* ● *(2) T. I, p. 180.* ● *(3) T. III, p. 874 et 875.*

son terme que, perdant son pouvoir d'éternité, elle n'aboutit qu'à réintroduire ce souvenir dans le jeu destructeur du Temps. « Toujours le lieu actuel avait été vainqueur. » (1) Au moment même où le processus s'active par la rentrée en possession du passé, il perd ce pouvoir d'éternité qu'il possédait au début quand une « félicité » non référée faisait toute sa substance.

Tout se passe comme si l'expérience d'éternité, après avoir éclaté sous la forme d'une félicité absolue, sans référence à des principes possibles, pouvait se déployer selon deux voies différentes.

D'une part, la voie de la mémoire affective, au sens courant du terme. La madeleine actuelle me renvoie à la madeleine ancienne ; les pavés inégaux de l'hôtel de Guermantes me renvoient à ceux du baptistère de Venise. Mais cette voie est, pour la « félicité » originelle, une voie descendante. A mesure que le passé explicatif apparaît plus clairement sur l'horizon de la mémoire, dans cette mesure aussi s'atténue, se dissipe cette « félicité » originelle qui faisait toute l'expérience d'éternité et, au moment où l'on tient bien en main les racines mnémoniques de cette félicité, la félicité elle-même se dilue dans l'air, pour faire place à une référence mnémonique. L'éternité se dissout dans le Temps du monde.

La référence mnémonique authentique, loin d'être l'instrument de l'expérience d'éternité, en marque donc la dégénérescence. Le caractère relativement insignifiant de ce réengrenage dans le Temps du monde (par rapport à l'expérience d'éternité) — quelle qu'en soit, par ailleurs, l'importance quant à l'expérience proustienne du Temps destructeur — se remarque, entre autres choses, au fait que cette référence mnémonique n'atteint pas toujours un point très solide dans le passé. Si la madeleine originelle paraît bien aussi dense de réalité affective que la madeleine remémorée, en revanche, par exemple, les arbres d'Hudimesnil, si lourds de toutes les richesses, dans l'expérience de « félicité » qu'ils emplissent, ont un point de départ bien léger dans le passé qui leur a donné naissance. Nulle part, on ne trouve, non plus, dans les textes que Proust écrit sur Venise, l'indication d'une extase réelle, provoquée par l'inégalité

●(1) T. III, p. 875.

des pavés dans le baptistère de Saint-Marc, et dont la « félicité »
éprouvée sur les pavés inégaux de la cour de Guermantes est censée
être la résurrection. Le texte primitif sur les pavés inégaux du baptistère est très bref, très sobre, presque sec. Rien de commun avec
les merveilles de la cour de Guermantes.

Et certes Proust ne perd pas une occasion de nous rappeler que
« la réalité ne se forme que dans la mémoire ».

Mais il faut résister à la tentation d'entendre cette doctrine comme
si la mémoire était une sorte d'*intellect agent* dont l'illumination
rétroactive ferait accéder à la réalité ce qui n'était pas encore réel

Marcel Proust à Venise

quand il était présent. Nous
voyons, en effet, que ce prétendu
pouvoir rétroactif de la mémoire
laisse subsister dans son « irréa-
lité » ou sa « semi-réalité » le
terme antérieur qu'il induit,
comme c'est le cas par exemple,
pour les pavés inégaux de Venise
ou les arbres quasi mythiques
d'Hudimesnil. Il est manifeste
que ce n'est point par le mouvement de quête positive qui la
porte vers le terme antérieur que
la félicité mnémonique devient
expérience d'éternité et création
de réalité. Bien au contraire, la
félicité et l'éternité se dissipent
à mesure que le retour mnémo-

nique prend pied sur le passé-du-sujet-dans-le-monde. La densité
ontologique maxima de tout le processus se trouve donc à l'opposé
du point où vient aboutir l'opération mnémonique effective. *La
mémoire est d'autant plus créatrice de réalité qu'elle est moins une vraie
mémoire, un vrai rapport entre le présent et le passé.*

Les textes nous montrent clairement, en effet, que les moments
d'intensité ontologique, les moments d'éternité sont des moments
de confusion et d'équivoque, il ne s'agit pas du tout de cette alliance

présent-passé qu'est le fait même de la mémoire mais d'une sorte
de *squeeze* entre le présent et le passé, d'une oscillation tenace, ou-
bien-présent-ou-bien-passé. Tant que ce squeeze se propose,
tant que cette oscillation vibre, de la « félicité » se crée, de la réalité se constitue, de l'éternité s'éprouve. Mais, dès que le présent
et le passé se « désintriquent », retrouvent leur distance et leur
rapport, dès que le « ou-bien-passé-ou-bien-présent » se fixe en un
« passé-et-présent » ou en un « présent-et-peut-être-passé », alors
le feu d'artifice s'éteint et la mort reprend ses droits.

« (Ces diverses impressions bienheureuses)... avaient entre elles
ceci de commun que je les éprou-
vais à la fois dans le moment
actuel et dans un moment éloigné, jusqu'à faire *empiéter* le passé
sur le présent, à me faire *hésiter* (1) à savoir dans lequel des
deux je me trouvais... » (1) Et
voici le moins équivoque à propos des arbres d'Hudimesnil :
« Mon esprit ayant *trébuché*, entre
quelque année lointaine et le
moment présent, les environs de
Balbec *vacillèrent* (1) et je me
demandai si toute cette promenade n'était pas une fiction... » (2)
Les mots sont révélateurs : empiéter, hésiter, trébucher, vaciller.
C'est à la charnière même de

La cathédrale de Chartres

cette oscillation que se trouve le foyer affectif de la « félicité » et
de l'éternité. Si elle durait trop longtemps, si elle n'était point, à
la fin réduite par la mise en place du présent et du passé, elle
deviendrait dangereuse... « Et, si le lieu actuel n'avait pas été
aussitôt vainqueur [c'est-à-dire, si l'équivoque avait duré], je crois
que j'aurais perdu connaissance. » (3) Nous ne pensons point que

● *(1) T. III, p. 871.* ● *(2) T. I, p. 717.* ● *(3) T. III, p. 875.*

l'association soit purement fortuite entre l'équivoque et l'éternité. Nous pensons, au contraire, que l'équivoque fait la substance même de l'expérience proustienne d'éternité. Mais ce n'est certes pas l'essence de l'équivoque qui se trouve liée ainsi à celle de l'éternité. Dieu nous garde de ces « apparentements » entre les essences. Nous croyons que cette équivoque éternisante que Proust nous décrit se rattache à un pur phénomène empirique, déjà évoqué, celui de l'illusion du déjà vu ou paramnésie.

Laissons de côté les cas où la paramnésie est le symptôme de quelque maladie mentale pour l'envisager en elle-même, comme phénomène courant, sinon comme phénomène normal, tel que le décrit Bergson. « Ce qui se dédouble, à chaque instant, en perception et en souvenir, c'est la totalité de ce que nous voyons, entendons, éprouvons, tout ce que nous sommes avec tout ce qui nous entoure. Si nous prenons conscience de ce dédoublement, c'est l'intégralité de notre présent qui nous apparaîtra à la fois comme perception ou comme souvenir... C'est, dans le moment actuel, un souvenir de ce moment. C'est du passé quant à la forme et du présent quant à la matière. C'est le souvenir du présent. » (1)

A propos des arbres d'Hudimesnil, Proust emploie justement l'expression : « voir double dans le temps ».

Cette paramnésie, qui s'accompagne souvent d'un sentiment de félicité assez discrète semble avoir été susceptible d'atteindre, chez Proust, une intensité assez grande pour le menacer d'une perte de connaissance. Elle est une manière à la fois originale et intense non seulement d'éprouver le temps, mais de le posséder, en le détachant, par cet ébranlement équivoque, de son propre écoulement et d'instituer aussi cette « éternité... fugitive » qui est proprement l'éternité proustienne, l'art n'étant plus qu'un rapport contingent entre l'éternité et le monde.

Que cette paramnésie soit parfois mnésie authentique ne change rien à l'affaire, car l'illumination paramnésique peut quelquefois, « par accident », coïncider avec un morceau du passé vrai et lui

---

● (1) « L'énergie spirituelle » (p. III à 152, « Le souvenir du présent ». L'analogie est frappante entre les descriptions bergsoniennes et les descriptions proustiennes).

prêter ses couleurs. La madeleine paramnésique de mon expérience peut rencontrer fortuitement une madeleine du passé et lui prêter plus ou moins de sa richesse. Ainsi des arbres d'Hudimesnil et des pavés de Venise-Guermantes. Nous dirons, en ce cas, sans nous laisser arrêter par l'apparente absurdité de la formule qu'il y a pseudo-paramnésie. Nous voulons dire que la félicité et l'éternité appartiennent foncièrement à l'expérience paramnésique seule, mais qu'elles peuvent parfois circuler, à partir de là, par les chemins de la mémoire, ce qui permet à Proust de les utiliser pour irriguer toute sa vie et faire, par surcroît, pousser l'herbe de l'art pendant que les hommes meurent.

P. F.

Marcel Proust

CHAPITRE X

Nous sommes tous ses héritiers

PAR THIERRY MAULNIER
de l'Académie française

A u premier abord, l'étude de l'influence exercée par un écrivain, par un artiste, paraît aussi secondaire que l'étude des
influences subies par lui. Ce qui fait proprement sa valeur est ce
qui peut être dégagé de l'une comme des autres, ce qui n'est ni
transmis ni transmissible. Son accent propre, l'empreinte de lui-
même qu'il met dans son écriture, la couleur que prend l'univers
sous son regard, l'originel, le fondamental de son œuvre n'appartiennent qu'à lui et le font différent de ce qui l'a précédé comme de
ce qui le suit. Allons plus loin : le privilège majeur de toute grande
œuvre, celui à quoi on la reconnaît, est de couper les ponts, ou de
fermer les portes, devant ceux qui voudraient la suivre. Le disciple
de Rimbaud, le disciple de Van Gogh, le disciple de Nietzsche est
nécessairement inférieur, puisqu'il prend à Rimbaud, à Van Gogh,
à Nietzsche ce qu'ils n'avaient pris à personne. Il n'émane de lui

qu'une lumière réfléchie, dont il n'est pas la source. Les imitateurs
et même ceux qui, sans imiter, utilisent et s'incorporent, pour
de nouveaux développements, l'apport d'un grand devancier,
n'abordent que de l'extérieur les thèmes, les modes de sensibilité,
les idées et les formes, qui dans l'activité créatrice de leur modèle
émanaient des profondeurs, constituaient la venue au jour de ce
qu'il y a de plus individuel dans l'individualité. Le dur noyau, le
diamant incorrruptible, restera hors de leur prise, impropre à la
consommation, à l'abri du courant de l'histoire littéraire qui voudrait l'emporter et le dissoudre dans ses remous. On peut recueillir,
répéter une parole, non pas être la bouche qui l'a prononcée, non
pas ressentir en soi la blessure secrète qui, pour parler, s'est faite
bouche. Ce qui donne sa vraie place à Proust dans la littérature
est ce qui est en lui, et en lui seul, origine et aboutissement — ce qui
n'appartient qu'à lui.

Pourtant les influences existent. Aucun artiste n'est seul au monde,
aucun n'eût été ce qu'il est s'il n'y en avait eu d'autres, avant lui,
autour de lui. Ce qui inspire le regard qu'il pose sur le monde, et
la traduction que sa main va en donner pour le communiquer à
d'autres, ce n'est pas seulement l'état de la société, des mœurs, des
connaissances, des techniques à l'heure où il apparaît, ce n'est
pas seulement ce que l'ont fait sa famille, son milieu, son éducation,
et, de façon plus profonde, plus secrète et plus déterminante, son
« patrimoine héréditaire » biologique, les gènes paternels et mater-
nels, les meurtrissures de la naissance, du sevrage, les blessures de
l'affectivité dans la première enfance. C'est aussi, bien entendu,
les maîtres, les lectures, les devanciers immédiats, les compétitions,
les oppositions, les rivalités, l'enveloppement de la culture régnante,
les concordances et les discordances qui se créent dans l'effort de
l'affirmation individuelle à l'égard de cette culture. Le monde, ou
du moins cette part choisie du monde — naturel, social, psychologique — qui s'offre à la « vision » du romancier n'est pas un
spectacle vierge, il est déjà objet de littérature, modifié par les visions
antérieures et par des visions parallèles et concurrentes. Si nouveau
que soit le style, si fortement différencié que soit le tempérament,
si vigoureux que soient le refus de l'imitation et la volonté délibérée

ou non de créer un langage encore inentendu, la dépendance à l'égard du « déjà vu » et, si j'ose dire, du « déjà écrit » est inéluctable, et s'opposer à ses prédécesseurs, pour un écrivain, c'est encore une manière de les subir. Les classiques, ou même les héritiers indignes des classiques, vers 1820, déterminaient en quelque mesure les romantiques. Ils les orientaient, ils leur désignaient les voies nouvelles du seul fait que les voies anciennes étaient désormais sans issue. Si solitaire, si bien refermée sur un monde tout intérieur que nous apparaisse l'œuvre de Proust à l'image de la semi-claustration où elle fut construite, elle n'en est pas moins liée à toute la littérature qui la précède, qui l'entoure et qui la suit par les mille rayonnements qui la pénètrent et par ceux qui émanent d'elle, elle est prise dans le réseau qui l'enserre de telle façon qu'il est presque impossible de l'en extraire, fût-ce par l'artifice critique. Tout le siècle littéraire nous est donné avec elle, et dans tout le siècle elle est là. De façon positive ou négative, toute la littérature précédente est présente en elle, de même qu'elle est présente de façon positive ou négative dans tout ce qui la suit. Notons en passant que les influences négatives, celles qui se traduisent par les réactions, les refus, sont plus importantes, plus déterminantes en fin de compte que les influences positives. « Pauvre disciple, qui ne dépasse pas son maître », a dit Nietzsche, et nul disciple ne dépasse son maître sans le rejeter en quelque mesure.

Une autre difficulté, en ce qui concerne toute étude portant sur la postérité d'un écrivain, et plus particulièrement lorsqu'il s'agit de Proust, résulte de ce qu'il est difficile de faire la part des influences et la part de ce que nous appellerons les convergences. De ce que Proust, en dépit de la solitude où son œuvre paraît s'être élaborée, est en réalité inséparable d'un mouvement des esprits, aux prises avec un même besoin d'élargissement et d'approfondissement de l'univers psychologique, en proie aux mêmes soucis, en chemin vers des découvertes concordantes, il résulte qu'il est presque impossible de distinguer, dans la littérature de notre temps, la part d'influence qui appartient en propre à l'auteur de *la Recherche du Temps perdu*, et la part qui revient aux autres grands défricheurs du subconscient, de la survivance du passé dans le moment vécu, de la continuité, de la durée mentale. Qui peut dire exactement, en face de tel roman ou de tel antiroman contemporain, ce dont l'auteur est redevable à Proust, ce dont il est redevable à Henry James, à Bergson, à la phénoménologie descriptive, à Freud, à Kafka? En fait, il est presque impossible de distinguer l'influence de Proust sur la littérature du dernier demi-siècle, du courant général dans lequel cette influence s'est insérée et de qui elle a reçu autant, sinon plus, qu'elle lui a donné. C'est ainsi qu'en ce qui concerne Henry James, une controverse reste ouverte pour décider si Proust a, dans une certaine mesure, reçu l'empreinte de son grand homo-

Henry James

logue de langue anglaise, s'il lui a au contraire imposé la sienne, s'il y a eu contamination réciproque, ou si les chemins des deux œuvres se sont seulement côtoyés parce que leurs directions de recherche étaient en quelque sorte dans l'air du temps et tendaient vers les mêmes buts. Bruce Lowery, dans une étude particulièrement documentée et approfondie, estime qu'il n'y a pas eu à proprement parler, « d'influence » de Proust sur James, ou de James sur Proust, bien que Proust ait certainement connu l'œuvre de James et que James n'ait pas ignoré Swann.

Le fait est pourtant qu'on trouve, chez l'un et chez l'autre, le même sentiment angoissé de solitude et la même volonté de solitude, la même transmutation du réel utilisé pour la création d'un univers de substitution et de refuge, le même échec de l'amour, la même résonance mélancolique, le même appel aux philtres de l'imagination et de la mémoire, la même obsession d'arracher à l'instant fugitif sa parcelle peut-être illusoire d'éternité. Mais ce ne sont pas là les indices d'une quelconque filiation : seulement ceux d'une parenté. En ce qui concerne Bergson, il est certain que Proust l'a lu longuement, et qu'il y a eu, cette fois, influence directe. Celle de Freud est tout à fait hypothétique, et pourtant il est certain que les deux œuvres, si différentes qu'elles aient pu être dans leur forme, dans leur langage et dans les intentions qui les ont conduites, s'éclairent et se complètent l'une l'autre par la part toute nouvelle qu'elles accordent, dans le comportement humain, à la mémoire affective, par la manière dont elles rapportent au passé, aux impressions primordiales, permanentes, « fixées », inguérissables, héritées de l'enfance, le fondamental du comportement humain.

P renons les choses par l'autre bout. L'opposition de Gide à Proust a été obsessionnelle, et l'on sait qu'elle avait son principe dans l'hétérodoxie sexuelle qui précisément les apparentait. Pour l'un comme pour l'autre, l'homosexualité a été au centre même de l'œuvre. Mais Proust lui faisait porter le masque, tandis que Gide voyait dans l'aveu, et presque dans la provocation, dans la « sincérité », un impératif non seulement éthique, mais esthétique. Je ne sais le crédit exact qu'il faut accorder à l'anecdote selon laquelle Gide, lecteur pour le compte des éditions Gallimard, fit lui-même, sur son rapport, refuser le manuscrit de Proust, peut-être parce qu'il n'y avait vu, à la suite d'une lecture distraite, qu'une nouvelle mouture du roman mondain en vogue, peuplé d'habitués des soirées parisiennes, de bavardes de salon et de gens titrés. Mais l'antipathie était certaine. J'ai entendu moi-même Gide la professer un jour et déclarer avec une sorte de violence : « Proust est un imposteur. » Peut-être y avait-il là le sentiment d'une sorte de rivalité. La confrontation des deux œuvres, dans leur influence, est d'ailleurs restée ambiguë, incertaine. Elles ont été unies dans l'admiration de beaucoup de lecteurs de ma génération. Il est de fait que la sincérité gidienne, en matière de sexualité, semble avoir marqué la littérature des années de 1925 à nos jours plus que le « travesti » proustien. Pourtant, c'est en fin de compte, en dépit de marques d'époque plus apparentes chez Proust, de ce qui semblait devoir

promettre l'œuvre de Proust à l'engloutissement avec la société
dépérissante dont elle nous dessinait l'image, l'œuvre de Gide qui
a le plus vieilli. *A la Recherche du Temps perdu* occupe en 1965 dans
le grand répertoire de la littérature une situation plus large et plus
solide que *les Nourritures Terrestres* et *les Faux Monnayeurs*.
C'est qu'à la différence de l'œuvre de Gide — si importante soit
cette dernière — l'œuvre de Proust possède la supériorité d'être
une œuvre-charnière. En dépit de la solitude physique de l'auteur
et de ce qu'il y a dans ses livres même de singulier, d'irréductible

André Gide et ses amis

aux grandes tendances esthétiques ou idéologiques les plus en vue
au début du siècle — néosymbolisme, esthétisme aristocratique,
naturalisme, nationalisme, renouveau chrétien — en dépit de son
décor mondain, de son raffinement exsangue, de la lueur crépusculaire dont elle est baignée, de cette renonciation à l'avenir qui
l'imprègne, la somme romanesque de Proust occupe une place telle
que, dans une certaine mesure et selon une certaine perspective,
tout ce qui compte dans la littérature d'aujourd'hui en reste tributaire, ne fût-ce que par l'effort pour s'en libérer. C'est d'elle qu'il

faut dater la remise en question par la littérature de l'architecture
de la personnalité telle que nous l'avait léguée le classicisme, avec
ses dessins nets, ses reliefs et ses ombres, son organisation active
jusque dans les déchaînements passionnels, le désespoir, la recherche
de la mort. Voici que soudain l'homme cesse de tenir pour un acte
de foi sa cohésion interne, assiste et consent à sa désagrégation,
devient le spectateur d'une durée intérieure qui le constitue en
même temps qu'elle le détruit, voici que ses actes cessent de le justifier ou du moins de le définir, de l'affirmer devant l'univers. Spectateur impuissant de lui-même, il ne se saisit plus que dans le flux,
dans l'enchaînement des instants successifs et évanescents, du temps
qui fait et défait sa propre substance. Sa conscience en reçoit un
contenu nouveau, plus riche, plus subtil, plus complexe. Elle se fait
fluide et passive, se féminise en quelque sorte, se fait passivité pure.
Elle se coule autour des choses, les épouse comme une eau dans leurs
plus secrets replis, en emplit les intervalles, elle se coule aussi
« entre les actes », comme dira Virginia Woolf — une des plus
grandes romancières dans la postérité de Proust, ou d'Henry
James, — la tâche du romancier n'est plus, ou du moins n'est plus
seulement, essentiellement, celle de créer une représentation orga-
nisée du monde par l'agencement des effets et des causes, des raisons d'agir, des actions et de leurs conséquences, mais d'appré-
hender le déroulement des images, des sensations, des réminiscences,
des impressions marginales, dans leur continuité globale, dans la
trame serrée et complexe de la totalité vécue. De ce point de vue,
on peut dire que depuis Proust, ou du moins depuis l'apparition
dans la littérature du grand courant auquel Proust appartient par
tout ce que son œuvre comporte de plus nouveau et de plus significatif, la relation de l'univers de la réalité à l'univers de la littérature s'est trouvée pour ainsi dire inversée. Pour les grands romanciers du XIXe siècle, pour Balzac ou Flaubert, pour Dickens ou
pour Dostoïevsky, la structure de l'homme n'était pas mise en question, et le rôle de l'écrivain était d'en tracer pour nous une image
puissamment suggestive par la simplification du dessin, les accents,
la construction ordonnée du récit. A partir de Proust, la « réalité »
romanesque apparaît au contraire comme une décomposition, une

désorganisation savante de la personnalité consciente édifiée par chaque être humain pour répondre aux tâches de la vie. Ce que la vie rejette dans ses arrière-plans et dans ses pénombres sera mis dans la lumière, ce qu'elle rejette et refoule soit par sentiment de malaise et de culpabilité, soit par l'effet des tabous sociaux, soit par simple souci pratique, sera l'objet de l'attention principale, ce qu'elle masque sera révélé. L'artiste ne va plus chercher la « vérité » humaine dans une sublimation, dans une transcendance, dans le « surmoi », mais dans une descente vers les profondeurs. La vie représentée va être celle qui se cache « sous » la vie vécue.

C e qui appartient en propre à Proust et qu'il n'a transmis à personne, c'est sa forme, la savante sinuosité de sa phrase toujours en équilibre, c'est le nostalgique appel à la mémoire, seul recours pour tenter de reconstituer dans le miroir d'un déjà vécu qui se décolore un semblant de cohérence de l'être, c'est la discrète et féroce ironie dans les tableaux complaisants d'une société épuisée et inutile, c'est enfin et pour tout dire en un mot son art. Ce qui a constitué son héritage transmissible, c'est ce qu'il a apporté en indivision avec ceux de ses grands contemporains à qui le liait une parenté dans l'angoisse et la recherche, une certaine manière de refléter et de reproduire le monde mental dans son épaisseur, sa coulée, sa translucidité sous-marine. De ce point de vue, Proust est présent dans presque tous les modes de création, dans presque toutes les directions de recherche de l'art contemporain : dans le monologue intérieur de Joyce, dans l'onirisme et le baroquisme somptueux du surréalisme, dans la poésie de la dictée intérieure, dans la jungle de symboles et de réminiscences où erre un Jünger, rêveur casqué, dans Virginia Woolf déjà nommée, dans le roman américain et jusque dans la notation globale des moments de conscience, dans l'association des impressions marginales à la note dominante de l'action, telle que la pratique un Simenon. Il est particulièrement intéressant de noter ce que doivent à Proust en dépit d'eux-mêmes ceux qui se sont le plus vigoureusement opposés à

lui. Jean-Paul Sartre a pu, dans *Situations I*, mettre Proust en accu-
sation, lui faire reproche de n'avoir pas su inventer un langage
qui fût exactement adapté à ce qu'il avait à dire. Pourtant, si
contraire que soit dans son principe la « liberté » sartrienne, puissance toujours intacte d'auto-détermination, élan vers un avenir
qu'il dépend toujours de nous de faire nôtre en le choisissant, à
la marche à reculons du héros proustien, les yeux tournés vers le
passé qui lui permet seul de se ressaisir comme personne, la phénoménologie existentielle reste liée, à tout le moins par un rapport
d'analogie, à la tentative proustienne d'enveloppement descriptif
de la réalité mentale. Par des
voies différentes, avec des préoc-
cupations différentes et une méfiance profonde à l'égard de
« l'art », elle tend elle aussi à faire
éclater, au profit d'une « urpsy-
chologie » du complexe et du
mouvant, les formes de l'architecture transcendentale de l'être
humain édifiée par la pensée
classique et restée debout jusqu'à
l'aube du XXᵉ siècle. Lui aussi,
Sartre, est tributaire de la « révolution copernicienne à rebours »
dont a parlé André Maurois, de
cette révolution qui donne désormais pour tâche au romancier
non la description du monde où

Jean-Paul Sartre

l'homme cherche à s'affirmer et à se construire, mais la « description de l'univers réfléchi et déformé par l'esprit ». Plus près de
nous encore que Sartre, les théoriciens de l'antiroman — telle
Nathalie Sarraute — ont eux aussi manifesté à l'égard de Proust
cet irrespect un peu provocant par lequel les nouveau-venus de la
littérature aiment bien prouver aux yeux d'autrui une capacité
de rupture dont ils ne sont eux-mêmes qu'imparfaitement assurés.
En réalité, l'antiroman lui-même se situe bon gré mal gré dans

la postérité proustienne; il ne fait que pousser à son extrémité, c'est-à-dire jusqu'à l'élimination totale de ce qui constituait la matière du roman traditionnel, l'intrigue, le milieu social, les caractères, les passions, les « personnages » — tous éléments qui existaient certes encore dans l'œuvre de Proust mais qui avaient cessé d'en occuper le centre pour y devenir des prétextes ou des accessoires, — le grand ébranlement dont *A la Recherche du Temps*

Nathalie Sarraute

perdu a été sinon l'origine unique, du moins un moment décisif. L'introversion du romancier parvient à sa limite dans l'effort qui anéantit pour ainsi dire le roman lui-même en tant que structure et ne laisse plus subsister que la notation énumérative des objets et des micro-événements de la durée vécue, et n'assigne plus à « l'art » d'autre fonction que de noter avec une précision impersonnelle l'enchaînement privé de sens des impressions reçues du dehors par un auteur et pour un lecteur ligotés ensemble dans la même passivité stupéfiante de dormeur mal éveillé. Au-delà, il

n'y a plus rien, semble-t-il, que le silence, la fin de la littérature, au double sens du mot de fin, étant atteinte dans le constat que rien ne mérite réellement d'être dit, hors ce qui ne peut pas l'être. C'est ainsi qu'en essayant de cerner l'étendue de l'influence de Proust dans la littérature d'aujourd'hui, nous sommes amenés à la noter présente depuis Simenon jusqu'à l'antiroman en passant par Sartre et les Américains, depuis les récits d'action presque pure jusqu'aux expériences-limites réalisées dans les laboratoires de l'a-littérature. Elle ne le sera pas moins, inévitablement, dans les nouvelles écoles de l'avenir. Ne nous laissons pas duper par la lumière de couchant qui donne à cette œuvre sa dorure fascinante

et mélancolique. Elle occupe, en réalité, une de ces positions domi-
natrices — comme le fut, dans l'ordre de la pensée, la position
pareillement solitaire de Montaigne — qui commandent l'avenir,
et qui font que de tout ce qu'elles ont mis en cause, plus rien ne
peut après elles être remis exactement dans sa situation antérieure.
Le roman après Proust est promis encore, il faut l'espérer, à de
nombreuses métamorphoses. Mais là où est Proust, là il reste, et
plus rien ne peut être après lui comme s'il n'avait pas été.

T. M.

Analyse sommaire de
A la Recherche du Temps perdu

la Recherche du Temps perdu est composé de sept romans, dont le dernier s'intitule d'ailleurs *le Temps retrouvé*, parce qu'il est une sorte de méditation sur les six premiers, c'est-à-dire le bilan de la vie de l'auteur, puisque l'ensemble se présente comme une autobiographie et nous est raconté à la première personne.

Du côté de chez Swann, le premier roman, se subdivise lui-même en deux parties principales (plus une troisième moins attendue). Dans la première partie, nous sommes à Combray, propriété estivale de la famille du narrateur, pendant l'enfance de celui-ci. C'est à la fois une chronique familiale, villageoise, et un début d'exploration de la vie intérieure, des mouvements inconscients de l'affectivité. Le grand-père de l'enfant, ses tantes, ou grand-tantes, son père, la domestique Françoise, qui jouera un rôle si important durant tout le livre, enfin et surtout sa mère et sa grand-mère. Parmi les voisins de campagne se trouvent les Guermantes, que l'on ne voit pas dans ce livre, qui sont pour l'imagination de l'enfant comme un rêve inaccessible, et Charles Swann, riche « amateur éclairé » à la fois d'art et de femmes. On va se promener tantôt « du côté des Guermantes », tantôt « du côté de chez Swann » — d'où le titre. Swann, en voisin amical et courtois, rend fréquemment visite aux parents et grands-parents du narrateur. Mais ce n'est pas notre seule raison d'être alors « du côté de chez Swann », car la seconde partie du roman, intitulée *Un amour de Swann*, nous raconte le grand amour de Swann pour Odette, qui se situe plusieurs années auparavant, car maintenant Swann est le mari d'Odette. Nous faisons ample connaissance dans ce récit, également, avec M. et Mme Verdurin, riches bourgeois dont le salon est le prototype du snobisme littéraire et artistique par opposition au snobisme nobiliaire des Guermantes.
La troisième partie renoue avec la première : c'est l'enfance du narrateur, mais à Paris.

A l'ombre des jeunes filles en fleurs, le second roman, concerne en gros l'adolescence de l'auteur, et sa première passion, éprouvée pour Gilberte Swann, qui n'est autre que la fille de Swann. Passion malheureuse, qui permet à l'auteur d'étudier sur lui-même les « intermittences du cœur ». Ce roman se divise aussi en deux parties : la première, à Paris, nous montre l'adolescent fréquentant le salon de Mme Swann, faisant la connaissance du grand écrivain qu'il admire tant, Bergotte, qui représente les lettres — comme Vinteuil représentera la musique et Elstir la peinture —, d'un diplomate grotesque, M. de Norpois, allant pour la première fois au théâtre voir la Berma, célèbre tragédienne, et surtout vivant son amour infortuné pour Gilberte tout en dégageant à ce propos les principes de sa philosophie de la passion amoureuse.

La seconde partie nous transporte au bord de la mer, à Balbec, en Normandie. Là le narrateur fait la connaissance d'un groupe de « jeunes filles en fleurs », parmi lesquelles Albertine qui sera la passion dominante de son existence et rencontre des personnages qui vont devenir très importants : Robert de Saint-Loup, M. de Charlus, sans compter ce « personnage » très cohérent et riche qu'est le Grand Hôtel de Balbec.

Le côté de Guermantes, troisième roman, se passe entièrement à Paris, mis à part l'épisode charmant du séjour à Doncières, petite ville de province où Saint-Loup est officier de garnison. Le roman suivant, *Sodome et Gomorrhe*, marque l'apogée de la vie mondaine de l'auteur : tantôt nous assistons à une matinée chez Mme de Villeparisis, liée aux Guermantes, tantôt à un dîner chez la duchesse de Guermantes, Oriane, dont le jeune homme a été amoureux en imagination, tantôt à une soirée chez la princesse de Guermantes, belle-sœur de la duchesse. Ces trois réunions mondaines (la troisième se situe dans *Sodome et Gomorrhe*) dépassent de beaucoup le niveau du « roman mondain » : ce sont trois microcosmes où l'auteur fait entrer l'observation même de la condition humaine tout entière. *Le côté de Guermantes* est marqué d'autre part par la mort de la grand-mère du narrateur, qui joue un grand rôle dans sa vie.

Avec *Sodome et Gomorrhe*, Proust entre dans un domaine qui n'avait jamais été traité aussi ouvertement par la grande littérature depuis l'antiquité, à savoir le domaine des « minorités érotiques ». Une scène frappante lui révèle que M. de Charlus est homosexuel et, d'autre part, Albertine, pour qui la passion du narrateur se déclare irréversiblement, présente des tendances homosexuelles qui sont pour lui une source constante de jalousie. Au terme d'un second séjour à Balbec, où nous revoyons les Verdurin, le narrateur décide d'épouser Albertine, ce que d'ailleurs il ne fera pas.

Il se contentera de la séquestrer, ce qui est raconté dans le cinquième roman, au titre significatif, *la Prisonnière*. « Marcel » (le narrateur) et Albertine, vivent à Paris, dans un appartement dont ils ne sortent pour ainsi dire jamais. (Si le narrateur se rend un soir chez les Verdurins, c'est pour y faire une enquête sur un point du passé de sa maîtresse.) *La Prisonnière* est une des études psychologiques les plus poussées des rapports d'un couple vivant en vase clos, à la fois noué et déchiré par la passion amoureuse.

Mais, excédée de cet esclavage, Albertine s'enfuit, et, au moment où sans doute elle s'apprêtait à revenir, se tue accidentellement. C'est *La fugitive* (jadis appelé *Albertine disparue* dans les premières éditions). L'auteur y observe la décélération de son amour après la disparition de l'objet aimé, le fait que la mort n'éteint pas la jalousie rétrospective, puisque pendant longtemps il va s'efforcer de découvrir toute la vérité sur les liaisons homosexuelles d'Albertine. Peu à peu, sa passion disparaît totalement : Albertine est bien morte, cette fois.

L'auteur atteint la maturité. Dès lors, dans *le Temps retrouvé*, il vit à l'écart des passions et des ambitions. Sans rien perdre de son acuité dans l'observation, ni de son humour satirique ou de son sens du comique, nous peignant Paris pendant la guerre, une nouvelle matinée chez Mme Verdurin (devenue princesse de Guermantes!) le narrateur est parvenu à un détachement qui lui permet de tourner toute son énergie vers l'élaboration de son œuvre : ainsi le temps « perdu » est « retrouvé ».

Table des illustrations

Proust vers l'âge de 10 ans. Ph. Nadar.
La mère de Proust. Ph. Otto. Coll. Mante-Proust. Ph. Hachette. / Rue de Rivoli (1871).
Ph. coll. de Vinck. Cab. des Est. B.N. Paris.

L'été aux Champs-Élysées. Grav. couleur par J. Geoffroy (1885). Cab. des Est. B.N. Paris. / Proust au Parc Monceau. Ph. B.N. Paris.

Le professeur Adrien Proust. Ph. Nadar. / La Place Saint-Augustin. Ph. (1889). Cab. des Est. B.N. Paris.

Illiers. Vue générale. Ph. Doisneau. Agence Rapho.

Illiers. Le Pré-Catelan. Ph. B.N. / Illiers. Maison de Tante Léonie. Ph. Roger-Viollet. Maison de Tante Léonie. Intérieur. Ph. Doisneau. Agence Rapho. / « La Tante Léonie ». Ph. Doisneau. Agence Rapho. / Maison de Tante Léonie. La chambre. Ph. Doisneau. Agence Rapho. / Maison de Tante Léonie. La Cuisine. Ph. Doisneau. Agence Rapho.

Kiosque de Cabourg. Carte postale, vers 1900. Coll. Claude Mauriac. / Évian et le lac de Genève. Ph. coll. Roger Viollet.

« La Bande Joyeuse », par R. Prinet. Coll. Dusseuil. Ph. Atelier René-Jacques. / Journal de Mme Proust. Doc. B.N. Paris.

Marcel et Robert Proust. Ph. B.N. Paris. / Sortie du lycée Condorcet, par Béraud. Musée Carnavalet. Paris. Ph. Bulloz.

Marcel, Robert et Mme Proust, vers 1895. Ph. B.N. Paris.

Classe de philosophie au lycée Condorcet. Proust au deuxième rang, premier à gauche. Professeur : Darlu. Ph. B.N. Paris.

Caserne du quartier Châtillon (Artillerie). Orléans. Ph. coll. Roger Viollet. / Proust soldat à Orléans. Ph. coll. Mme Simone André-Maurois.

Affiche de Bonnard pour « La Revue Blanche » (1894). Cab. des Est. B.N. Paris / Proust devant Jeanne Pouquet au tennis du bd. Bineau. Ph. coll. Mme Simone André-Maurois.

Marcel Proust. Ph. B.N. Paris. / « Les Plaisirs et les Jours », Édit. originale (1896). / Illustration de Madeleine Lemaire pour « Les Plaisirs et les Jours ».

Un duel à la belle époque (Prince de Sagan et Abel Hermant). Grav. de Méaulle. Ph. coll. Viollet. / Jean Lorrain. Ph. Gerschel. B.N. Paris.

Alfred Dreyfus pendant le procès de Rennes, et la garde du déshonneur. Cab. des Est. B.N. Ph. B.N. Paris. / Émile Zola. Ph. Cab. des Est. B.N. Paris. / Esterhazy. Ph. Buizard. Coll. Sirot.

Histoire d'un traître. Image de propagande anti-dreyfusiste. Coll. Sirot. / Histoire d'un innocent. Image de propagande dreyfusiste. Coll. Sirot.

Expulsion des Pères du couvent de la Grande Chartreuse. Ph. Doc. R. Dazy.

La Princesse Mathilde, par Albert Besnard. Musée de Versailles. Ph. Bulloz. / Atelier de la princesse Mathilde, par C. Giraud. Coll. Fabius. Ph. Giraudon.

Robert de Flers, M. Proust et Lucien Daudet. Ph. B.N. / En haut : Reynaldo Hahn. Ph. Nadar. — Robert de Billy. Ph. Atelier René-Jacques. / En bas : Emmanuel Bibesco. Ph. B.N. — Gaston de Caillavet. Coll. Mme Mante-Proust. Ph. Hachette.

« La Bible d'Amiens » de Ruskin (1904). Bibl. des Arts décoratifs, Paris. / John Ruskin, par Herkomer. National Portrait Gallery. Londres. Ph. du musée.

La « Loggia » du campanile de Venise. Ph. Ongania. Cab. des Est. B.N. Paris. / Marcel Proust (au fond) et quelques amis devant l'église abbatiale de St-Leu d'Esserent. Ph. Atelier René-Jacques.

Statues-colonnes du porche de la cathédrale de Chartres. Ph. Archives photographiques. / Un prophète de la cathédrale de Reims. Dessin de Marcel Proust inclus dans une lettre à Reynaldo Hahn. Coll. Mme Simone André-Maurois. « Matière et Mémoire » de H. Bergson. B.N. Paris. Ph. B.N. / Bergson dans son bureau. Ph. Dornac. Cab. des Est. B.N. Paris.

Proust sur un divan. Ph. B.N.
Chalet du Cycle au bois de Boulogne, par Béraud. Musée de l'Ile de France, Sceaux. Ph. Bulloz. / Le Cercle, par Béraud. Petit Palais. Ph. Bulloz. / Grand Prix de Paris à Longchamp (1900), par de Nittis. Coll. privée. Ph. Giraudon. / Une soirée, par Béraud. Musée Carnavalet. Ph. Bulloz. / Yachting, par Gervex. Ph. Hachette. / Proust sur le yacht des Mirbaud. Ph. Atelier René-Jacques.
Le marché aux fleurs de la Madeleine, par Galien-Laloue. Coll. Dr P. Walter. / Louisa de Mornand. Ph. Nadar.
Proust et son chauffeur Agostinelli. Ph. B. N. / L'Auberge de Guillaume le Conquérant, à Dives. Ph. v. 1900. Coll. J. Cabanis.
Le château de Réveillon. Ph. « Connaissance des Arts ». / La comtesse Greffulhe. Ph. B.N. Paris.
Mme Ménard-Dorian. Ph. Hachette. / Un déjeuner à la campagne (Proust debout, 3e à gauche). Ph. Atelier René-Jacques.
Nana, par Manet. Kunsthalle. Hambourg. Ph. Bulloz. / Charles Haas en conversation. Ph. Atelier René-Jacques.
« Les Deux Amies », par Toulouse-Lautrec. Coll. Schinz, Zurich. Ph. Giraudon. / Robert de Montesquiou vers 1900, par Sem. Cab. des Est., B.N. Paris. / Manuscrit de « Sodome et Gomorrhe ». Ph. B.N. Paris.
Nijinski dans « Prélude à l'après-midi d'un faune », par L. Bakst. Bibl. de l'Arsenal. Paris. Ph. Giraudon. / Sarah Bernhardt. Affiche de Mucha. Cab. des Est. B.N. Paris. Monet. Ph. coll. Roger Viollet. / Saint-Saëns. Ph. coll. Roger Viollet. / A. France. Ph. coll. Roger Viollet. / M. Proust. Ph. Atelier René-Jacques.

Proust à l'exposition Vermeer. Ph. J. L. Vaudoyer. Coll. Mme Mante-Proust.
Jaurès (1913). Manifestation contre la loi de 3 ans. Ph. coll. Roger Viollet. / Paul Déroulède (à droite). Ph. Cab. des Est., B.N. Paris.
Tranchée allemande prise à la baïonnette dans les hauts de Meuse. Ph. coll. Roger Viollet. / R. Hahn pendant la guerre. Ph. coll. Mante-Proust.
Permissionnaires à Paris. La journée du 75 (7 février 1915). Ph. coll. Roger Viollet. / Marthe Chenal chantant « la Marseillaise ». Ph. coll. Miroir.
Manuscrits de « la Recherche ». Coll. Simone André-Maurois. / Marcel Proust. Ph. coll. Mante-Proust.
Article de Gonzague Truc. « La Minerve Française » (15 février 1920). B.N. / Lucien Descaves. Ph. Cab. des Est. B.N. Paris. / Léon Daudet. Ph. Nadar. / Article d'Edmond Jaloux : « Les Écrits Nouveaux » (Janvier 1920). B.N. Paris.
Salon de la rue Hamelin. Ph. B.N. / Bureau de la rue Hamelin. Coll. Mante-Proust. Ph. Hachette.
Proust sur son lit de mort. Ph. Helleu. Cab. des Est. B.N. Paris.

Table des matières

CET OUVRAGE
LE VINGT-TROISIÈME DE LA COLLECTION
GÉNIES ET RÉALITÉS
A ÉTÉ ANIMÉ
PAR
GASTON D'ANGÉLIS, PIERRE LEVALLOIS,
SHAKUNTALA LETOURNEUR ET STÉPHANE CHOLLET
ASSISTÉS DE L'ÉQUIPE DE RÉALITÉS COMPRENANT
JEAN-LOUIS GERMAIN,
JEAN-CLAUDE MONTEL
ET GILBERT WEIL.
LA CONCEPTION TYPOGRAPHIQUE
EST DE HOLLENSTEIN.

ACHEVÉ D'IMPRIMER
LE 1er JUILLET 1965
SUR LES PRESSES DES IMPRIMERIES
A. HUMBLOT ET Cie ET TOURNON ET Cie
SUR PAPIER VERGÉ SAINT-ALBAN
DES PAPETERIES DE SAVOIE
ET PAPIER COUCHÉ DES PAPETERIES DE GUYENNE
RELIURE FRACHE, DE FRANCLIEU ET Cie

Imprimé en France
Dépôt légal n⁰ 3117 — 3e trimestre 1965
Éditeur n⁰ 2966
Imprimeur n⁰ 140

(Regret) returned la
... instance à lui
... j'avais...la
chic

...
(... ...)
... les ... ...
... ..., ... les ...
... (...), les ... ...
... ...